D1413133

Celtina

Le Chaudron de Dagda

Corinne De Vailly

CELTINA
Le Chaudron de Dagda

LES INTOUCHABLES

Les Éditions des Intouchables bénéficient du soutien financier de la SODEC et du Programme de crédits d'impôt du gouvernement du Québec.

Nous remercions le Conseil des Arts du Canada de l'aide accordée à notre programme de publication.

Nous reconnaissons l'aide financière du gouvernement du Canada par l'entremise du Programme d'aide au développement de l'industrie de l'édition (PADIÉ) pour nos activités d'édition.

LES ÉDITIONS DES INTOUCHABLES
4701, rue Saint-Denis
Montréal, Québec
H2J 2L5
Téléphone : 514-526-0770
Télécopieur : 514-529-7780
www.lesintouchables.com

DISTRIBUTION : PROLOGUE
1650, boulevard Lionel-Bertrand
Boisbriand, Québec
J7H 1N7
Téléphone : 450-434-0306
Télécopieur : 450-434-2627

Impression : Transcontinental
Illustration de la couverture : Boris Stoilov
Conception de la couverture et logo : Benoît Desroches
Infographie : Geneviève Nadeau et Andréa Fortin

Dépôt légal : 2007
Bibliothèque et Archives nationales du Québec
Bibliothèque nationale du Canada

ISBN : 978-2-89549-288-7

Chapitre 1

Goibniu le forgeron et Luchta le charpentier, charriant sur leur dos lances et épées, s'engagèrent lentement sous terre, non sans avoir lancé de nombreux coups d'œil derrière eux, comme pour s'assurer une dernière fois qu'ils n'avaient oublié personne. Ils étaient les derniers des Thuatha Dé Danann à obtempérer à l'ordre de Dagda et à s'enfoncer sous le tertre du mont des Otages qui donnait accès au Síd, là où désormais devrait se dérouler l'essentiel de leurs nuits et de leurs jours.

Le regard de Goibniu s'attarda un instant sur Celtina comme pour l'implorer de le suivre avant que la porte du Síd ne se referme sur les Tribus de Dana et ne les enferme dans ce monde parallèle.

La prêtresse hésita. Ses gardiens artabros avaient relâché leur surveillance, elle pouvait s'enfuir sans problème. Mais après quelques secondes de réflexion, la jeune fille adressa un signe d'adieu de la main au dieu-forgeron.

Si elle n'avait écouté que son cœur, elle se serait précipitée sous le tertre dans le sillage des Tribus de Dana, mais cette fois, elle avait écouté la petite voix de Gwydion, le dieu de la Sagesse qui, par-delà les frontières du Síd, lui conseillait de faire preuve de retenue et surtout de réflexion.

En se détournant pour cacher ses larmes, Celtina espéra que ce n'était qu'un au revoir et que, bientôt, elle pourrait de nouveau côtoyer les dieux. Pour le moment, elle n'avait guère d'autre choix que de s'attacher à Amorgen. Le sourire énigmatique du druide des Fils de Milé lui avait clairement laissé entendre qu'il détenait la partie du secret que Maève avait confiée à Éranann. Ce qu'Amorgen savait constituait sa seule chance de poursuivre sa mission. Elle devait le convaincre de lui révéler le vers d'or.

L'adolescente mit donc ses pas dans les pas du vieux druide, vers la salle des banquets de Tara où se réunissait déjà son peuple. L'heure était grave. Les Fils de Milé, qui à partir de ce jour se feraient appeler les «Gaëls», devaient désigner leur roi pour les années à venir.

Réunis en grand conseil à Míodhchuarta, entre les pierres monumentales dressées en formation rectangulaire, les Gaëls écoutaient avec attention l'exposé de la situation que leur faisait Amorgen, leur druide. Puis la discussion s'engagea, chacun tentant de faire valoir ses arguments, mais aussi ses qualités, pour accéder au titre suprême. Pendant des heures, ils palabrèrent et s'invectivèrent, faisant et défaisant des alliances, jusqu'à ce que vînt le moment tant attendu du vote.

– En tant que druides, Colphta l'orgueilleux et Amorgen ne peuvent pas ceindre la couronne, commença le vieux Fuad. Puisque Ith a été l'instigateur de notre venue dans l'île Verte, il aurait normalement dû en devenir le chef…

– Je te rappelle que ton frère Ith est mort avant même que nous ayons livré bataille, le coupa Éber, railleur. Il n'a pas participé à la conquête d'Ériu…

– Je le sais bien! grommela Fuad, furieux d'avoir été interrompu de façon aussi cavalière. C'est pourquoi je veux donner la souveraineté à mon frère Bilé, père de Mil, car la royauté revient de droit à notre famille.

Éber éclata de rire. C'était toutefois un gloussement sardonique qui jeta un froid sur l'assemblée.

– L'idée est bonne et mérite d'être considérée, convint finalement Colphta l'orgueilleux. En souvenir de Mil qui a été le premier à vaincre les Tribus de Dana dans les Îles du Nord du Monde… Je vote moi aussi pour Bilé.

Bilé secoua la tête en soupirant, accablé par le poids de cette royauté qu'on espérait lui faire endosser et dont il ne voulait pas.

– J'ai refusé de succéder à Breogán sur les Côtes de la Mort, déclara Bilé d'une voix lasse, presque éteinte. Je n'accepterai pas plus de gouverner cette nouvelle terre. Ce genre de responsabilité ne m'intéresse pas. Je suis encore plus âgé que Fuad, même si je semble en meilleure forme que lui. Bientôt, mon âme ira se reposer aux côtés de celles de mes ancêtres, enfin je l'espère! Et tout sera à recommencer. Choisissez plutôt quelqu'un qui soit jeune et ardent, vaillant et sage…

Colphta et Fuad esquissèrent une grimace à l'écoute de ce refus. Puisque Bilé s'écartait lui-même, la liste des candidats potentiels se résumait maintenant à deux noms: Éber et Érémon.

– Avec la mort de Donn et d'Airech*, je suis désormais le plus âgé des enfants de Mil, déclara Éber, avec un sourire malicieux. À ce titre, Ériu doit me revenir.

– Tu es mon frère et je te reconnais de nombreuses qualités, Éber, intervint Amorgen. Mais je sais aussi que tu es impulsif, colérique, vaniteux et têtu.

– Ça suffit! protesta Éber, en se levant et en brandissant son épée pour en menacer le druide.

– Laisse-moi parler! s'exclama Amorgen. Et cesse de jouer à l'épouvantail avec ce glaive, tu vas finir par blesser quelqu'un. Tout le monde peut le constater, tu n'acceptes pas non plus facilement la critique, et toi aussi, tu es âgé. Je te rappelle que tu as deux ans de plus que moi!

– Mais… de tous les enfants de Breogán ou de Mil, je suis celui qui a le plus d'expérience au combat, grogna Éber en reprenant sa place tout en décochant un regard furieux à Amorgen.

– Je le reconnais! reprit le druide, avec calme mais fermeté. Toutefois, pour gouverner Ériu, il ne nous faut pas un esprit querelleur, mais quelqu'un de réfléchi, posé, qui saura prendre de bonnes décisions. Il nous faut aussi quelqu'un de jeune et dynamique. C'est pourquoi je donne mon vote à Érémon.

– Ridicule! s'écria Éber, en sautant une fois de plus sur ses pieds et en recommençant à faire des moulinets avec son épée.

Il vint se planter devant Érémon qui n'avait toujours pas réagi aux paroles de son demi-frère Amorgen, pas plus qu'aux manœuvres d'intimidation d'Éber, son autre demi-frère.

– Alors, que décides-tu? fit Éber, en poussant son cadet du pied. Puis, prenant l'assemblée à témoin, il se retourna vers les druides Colphta et Amorgen: vous voyez, la royauté n'intéresse pas Érémon.

– Puisque les Gaëls ne parviennent pas à se mettre d'accord pour élire un roi, en tant que druide, c'est à moi de trancher. Voici mon jugement, déclara enfin Amorgen, visiblement indisposé par cette incapacité à choisir des Gaëls.

Tous s'étaient levés pour entendre le second jugement prononcé par Amorgen sur Ériu. La décision d'un druide ayant force de loi, elle ne pourrait être remise en cause sous peine de bannissement, à moins que quelqu'un puisse prouver que le druide avait lui-même enfreint la loi. Ce qui, de toute façon, n'était jamais simple, sauf si l'erreur était flagrante.

– J'ai décidé qu'Érémon obtiendrait la souveraineté. Si pour une raison ou une autre, Érémon perdait la vie, alors la couronne reviendrait à Éber, laissa tomber Amorgen. Un sourire apparut sur certains visages, tandis que d'autres se renfrognaient de mécontentement.

Un soupir de soulagement souleva la poitrine de Celtina. Elle avait craint un instant qu'Éber le belliqueux ne remporte la victoire par défaut d'opposition. Sous sa coupe, Ériu n'aurait sûrement connu que le conflit et la haine. De son côté, Érémon avait prouvé sa valeur au combat contre les Tribus de Dana. C'était un jeune homme juste, qui ne se laisserait sans doute pas guider par les émotions, et qui saurait gouverner avec raison.

Lentement, le jeune Gaël ainsi nommé roi se leva, épousseta ses braies et sa tunique bleues, décrocha son épée de sa ceinture et la ficha en terre, entre ses pieds. Puis, appuyé sur les branches de la garde de son arme, d'une voix forte et assurée, son regard de braise fixé sur l'assemblée, ses longs cheveux noirs virevoltant sous le souffle d'un vent léger, il déclara sans trembler :

– Moi, Érémon, fils de Milé, de la tribu des Artabros des Côtes de la Mort, j'accepte de devenir le premier roi des Gaëls d'Ériu, l'île Verte.

– C'est un mauvais jugement ! s'insurgea aussitôt Éber. Colphta, je te prends à témoin, Amorgen n'a pas respecté la procédure. Tu es druide toi aussi, il aurait dû te consulter avant de prononcer ce jugement. Cette décision n'a aucune valeur et je ne la reconnais pas !

Plusieurs voix s'élevèrent pour donner raison à Éber. Conforté dans ses positions par ses partisans, le vieux guerrier demanda que les nobles gaëls procèdent à un vote en bonne et due forme.

Ainsi, ce qu'Amorgen avait voulu éviter en se prononçant pour Érémon se produisit : chacun des deux candidats obtint un nombre égal de voix. Le vote fut aussitôt demandé aux guerriers. Encore une fois, il fut impossible de départager les deux prétendants. Puis ce furent aux artisans, aux agriculteurs et aux serviteurs libres de se prononcer. En vain. L'égalité parfaite persistait. Il fallut en venir à consulter les esclaves. Peine perdue. Impossible de désigner un vainqueur entre les deux candidats. En dernier recours, on se tourna vers Celtina.

Seule sa voix pourrait faire basculer la victoire d'un côté ou de l'autre. Prudente, la jeune prêtresse invoqua son statut d'otage pour refuser de donner son appui à l'un ou l'autre des prétendants à la couronne. Les Gaëls se trouvaient une fois de plus dans une impasse.

– Puisque nous ne parvenons pas à élire un roi, je suggère qu'Ériu soit partagée en deux, déclara Éber en ruminant sa mauvaise humeur.

La proposition du vieux guerrier prit tous les participants de court, surtout les deux druides qui ne s'étaient pas attendus à un tel compromis, en particulier de la part d'Éber le belliqueux, qui n'avait pas la réputation d'abandonner facilement ses prétentions.

Après quelques instants de silence dû à l'étonnement, les discussions reprirent, les pour et les contre exposant leurs arguments avec de hauts cris. La réunion allait tourner à la foire d'empoigne*, lorsque Colphta et Amorgen convinrent d'y mettre un terme en s'entendant pour prononcer un jugement commun.

– Nous acceptons la proposition, déclara Amorgen. Érémon gouvernera la moitié nord d'Ériu et Éber, la moitié sud.

– Quant à Tara, elle restera une terre commune et sacrée placée sous la protection des druides, ajouta Colphta.

Un grand cri d'enthousiasme accueillit la décision et tous convinrent que les deux druides avaient su régler le conflit avec une grande sagesse. Aussitôt, les familles, les guerriers, les serviteurs et les esclaves se divisèrent en deux clans. Puis, les nouveaux rois et leurs suites prirent sans tarder la direction de leurs nouvelles possessions.

En quelques heures, ils occupèrent le terrain qui leur avait été attribué et leur première préoccupation fut de protéger leurs positions. Ils procédèrent rapidement à l'érection de plusieurs forteresses, placées sous la responsabilité de cinq chefs sur chacun des deux territoires.

La vie s'annonçait sous les meilleurs auspices* et les paysans ne tardèrent pas à défricher, planter, semer, de manière à assurer la survie de la nouvelle population des deux territoires. Chacun était convaincu que ce pays allait dispenser à tous d'incroyables richesses. Et, ce qui était très important, ils se savaient désormais à l'abri des Romains, qui, même s'ils avaient entendu parler d'Ériu, jugeaient l'île trop éloignée et sans grand intérêt pour la gloire de l'Empire.

Dans le Síd aussi, l'heure était au partage. Il revenait à Dagda d'attribuer les palais merveilleux dans lesquels les Tribus de Dana devraient vivre désormais. Dans les profondeurs de la Terre, inaccessibles aux hommes, sous des collines ou des plis de terrain plus ou moins élevés, dans des souterrains, des grottes et des antres abrités, les dieux s'étaient réfugiés loin des Gaëls.

Chacun se vit donc attribuer un site, même Lug qui commençait à se trouver à l'étroit en compagnie de Manannân dans l'île d'Arran. Quant à Dagda, il s'en garda deux pour lui, afin d'accommoder sa nombreuse famille qu'il aimait recevoir souvent.

Vaincus, mais conservant leur statut de dieux, les Thuatha Dé Danann avaient aussi obtenu le droit de se rendre, s'ils le souhaitaient, à la surface d'Ériu, où ils avaient autrefois régné sans partage.

En leur accordant cette faveur, Fintan, le vieux sage, avait permis aux Tribus de Dana de continuer à exercer leur influence souvent favorable, mais parfois aussi défavorable, sur la vie des Gaëls. Ainsi, les mortels qui obtenaient leur aide ou qui étaient frappés par leur vengeance ne pouvaient que constater le résultat des interventions de ces êtres invisibles qui les faisaient bénéficier de leurs bienfaits ou, au contraire, les poursuivaient de leur colère.

Les dieux des Tribus de Dana avaient également conservé le pouvoir de se montrer sous l'apparence de leur choix. Ainsi, ils pourraient intervenir dans les affaires des

Gaëls, soit sous une forme humaine, soit sous l'apparence animale qui leur convenait, selon leur bon vouloir. C'était un privilège que beaucoup de Gaëls allaient déplorer plus tard.

En effet, même en étant très occupés eux-mêmes à se partager le Síd, les dieux continuaient à s'intéresser à ce qui se passait à la surface d'Ériu. Ils n'avaient pas perdu de vue un seul des événements qui s'y déroulaient, et plusieurs d'entre eux furent d'avis d'en profiter pour faire comprendre aux Gaëls que, même vaincus à la bataille de Tailtiu, les Thuatha Dé Danann ne pouvaient pas être considérés comme quantité négligeable.

– Nous pourrions profiter de la dispute entre Éber et Érémon pour asseoir notre pouvoir sur les esprits de ces mortels, proposa Carthba le druide.

– Que suggères-tu? l'interrogea Lug le dieu de la Lumière.

– Nous pourrions agir sur leurs récoltes, continua Carthba. Mais bien entendu, c'est à Dagda d'en décider...

– C'est une idée intéressante, reconnut la déesse Brigit. Les Gaëls nous ont volé notre terre, mais il ne faut pas leur permettre de croire qu'ils peuvent se passer des dieux. Une bonne leçon leur serait salutaire.

– Je m'en occupe ! conclut Dagda, tandis qu'un petit sourire venait illuminer son visage bouffi et, somme toute, plutôt laid.

Chapitre 2

Après plusieurs jours sur ses nouvelles terres, tandis que ses chefs de guerre surveillaient la construction de ses forteresses, Éber commença à lorgner le territoire de son demi-frère. Un matin, il revint excédé d'une tournée d'inspection de ses frontières. Se tournant vers Un, son principal bras droit, il lança :

– Érémon empiète sur ma parcelle.

– Je peux masser nos combattants aux limites de son territoire pour l'impressionner, suggéra Un qui, pour sa part, n'avait guère envie d'en découdre avec les membres de sa famille qui étaient restés dans l'autre camp.

– Non. Dispose-les plutôt autour des collines de Beathaigh, Clasaigh et Finghin…, répliqua le vieux guerrier querelleur.

– Attention, Éber ! le prévint son capitaine. Tout comme Tara, ces collines font partie du domaine des druides, qui en ont fait des lieux sacrés. Nous ne pouvons pas en revendiquer la possession.

– Je me moque bien des prétentions des druides…, fit Éber en ricanant. Ces trois collines donnent davantage de terres à Érémon et cela ne respecte pas l'entente qui a été conclue.

– Érémon ne fait que maintenir la sécurité aux alentours des trois collines, protesta encore Un. Il n'a jamais cherché à se les accaparer.

– Eh bien, c'est un idiot ! Moi, je vais me les approprier. De toute façon, je ne vois pas pourquoi ce sont ses hommes qui sont chargés de leur protection. Les miens auraient pu en faire tout autant, sinon mieux.

En grommelant, Un se plia à la volonté de son roi. Il fit prévenir les quatre autres capitaines du vieux guerrier et leur ordonna d'envoyer des troupes aux frontières.

En quelques jours, des centaines de soldats d'Éber se retrouvèrent face aux hommes d'Érémon. Les deux camps se défièrent à la fois en paroles et en actes. Des escarmouches éclatèrent, et, à cause de l'orgueil d'un seul homme, plusieurs valeureux guerriers des deux camps perdirent la vie.

Mais Éber n'était pas encore satisfait. En fait, la surveillance des trois collines sacrées n'était qu'un prétexte. Il entendait plutôt revendiquer la souveraineté suprême sur Ériu tout entière. Voyant que les hommes d'Érémon ne faisaient que se défendre en répondant à ses attaques sans jamais rien provoquer à leur tour, il finit par perdre patience.

Un matin, levé de fort mauvaise humeur, il envoya une délégation à son demi-frère pour lui enjoindre d'en finir une fois pour toutes. Éber avait décidé que la bataille se déroulerait au pied de la colline de Geisill. C'était sans aucun doute le plus mauvais choix qu'il pouvait faire, car cette butte de terre abritait l'un des palais souterrains que la déesse Brigit avait reçus de Dagda, lors du partage du Síd.

Au premier martèlement des chevaux, au premier fracas des armes, au premier cri de guerre, la déesse en émoi se précipita auprès de son père. Elle le trouva en pleine sieste, allongé sur une confortable couche de paille, dans un de ses fabuleux lits d'argent.

– Allons-nous devoir supporter de tels comportements jusqu'à la fin des temps ? lança la déesse à Dagda.

Réveillé en sursaut, le Dieu Bon se demanda pourquoi sa fille faisait un tel raffut.

– Brigit a raison, intervint Boann, l'épouse du Dieu Bon. Et, pour mieux attirer son attention, elle lui retira le mouton entier qu'il s'était mis de côté pour calmer les petites fringales qu'il ressentait toujours au réveil. Les Gaëls viennent à peine de s'installer que déjà ils se mettent à ravager cette terre si belle et si fertile d'Ériu ; ils ne la méritent pas.

– Tu as promis que tu les obligerais à nous respecter et pourtant, tu n'as encore rien fait, lui reprocha de nouveau Brigit sur un ton plaintif.

Dagda soupira en se disant que jamais il n'aurait la paix. Lui qui pensait trouver un repos bien mérité dans son merveilleux palais du Síd, voilà que les comportements des Gaëls venaient gâcher son plaisir. Et si en plus sa fille et sa femme s'en mêlaient, il savait qu'il ne trouverait plus le repos tant que l'affaire ne serait pas réglée.

– Je m'en occupe! lança-t-il à Boann et à Brigit, tout en se retournant sur sa couche pour continuer à profiter de sa sieste quelques minutes de plus.

– C'est déjà ce que tu as dit il n'y a pas si longtemps. Allez, remue-toi! le houspilla Boann, en le tirant par la capuche de sa tunique rouge tachée du gras de son plus récent repas.

Mais pendant que Dagda pesait le pour et le contre d'une intervention, la colline de Geisill retentissait des clameurs des Gaëls. En une seule journée, le sang de quelques centaines de guerriers vint souiller la plaine. Palap, le fils aîné d'Érémon, fut le premier des capitaines à tomber. Mais de nombreuses autres vies furent fauchées dans la pleine fleur de leur jeunesse.

Ainsi, un matin, ce fut au tour d'Éber de plier l'échine devant la supériorité des combattants adverses. Le capitaine Un, qui chevauchait aux côtés de son chef, ne put rien faire pour se porter à son secours lorsqu'il le vit encerclé par ses adversaires beaucoup plus jeunes et plus agiles que lui. Quand Éber tomba de cheval, Un comprit que la bataille était terminée. Au moment où un jeune homme brandit la tête d'Éber au-dessus de la mêlée, Un lança l'ordre à ses troupes de battre en retraite.

Le jeune guerrier vint déposer la tête d'Éber aux pieds de son roi. Dès cet instant, Érémon fut investi de la pleine souveraineté sur Ériu.

– Que l'on ne pourchasse pas les hommes d'Éber. Ils se rallieront à nous dans quelques jours. Laissons Un pleurer ses morts et enterrer ses combattants.

Tel fut le premier commandement du roi des Gaëls.

Dans le Síd, la fureur des combats finit par venir à bout de la patience de Dagda. Les dieux des Tribus de Dana en avaient le sommeil perturbé. Le piétinement des chevaux et des hommes sur la colline de Geisill retentissait plus fort que les coups de Goibniu le forgeron sur son enclume. Ce bruit infernal se répercutait comme un écho d'un bout à l'autre du Síd par les cavernes et les souterrains, tant et si bien que Brigit et Boann ne furent plus les seules à se plaindre. Dagda eut droit à un véritable concert de récriminations lorsque la plupart des dieux vinrent le trouver pour exiger qu'il fasse payer aux Gaëls ce manque flagrant de respect.

– J'ai compris! grogna finalement le Dieu Bon, à bout de patience. À la nuit tombée, que plusieurs d'entre vous aillent frotter les chaudrons dans les foyers des Gaëls avec de la nigritelle noire*.

– Mais si l'on ne parvient pas à s'introduire dans les maisons, que ferons-nous? le questionna Andrasta, déesse de la Révolte.

– Alors, contentez-vous de frotter le seuil de leurs portes avec cette plante, ça devrait suffire.

– Brigit, je te charge de déposer des tresses de sureau entre les pattes des vaches dans les étables, continua Dagda.

– Ça ne suffira pas! soupira Boann qui voyait très bien où son époux voulait en venir avec ses manigances.

– Lug, toi qui nous as enseigné l'agriculture, as-tu une idée? demanda Dagda au dieu de la Lumière.

– Oui. Que Rosmerta remplace les instruments aratoires* des paysans. Pour la charrue, il faut utiliser une corne de bélier en guise de coutre*, et un morceau de corne de taureau blanc en guise de soc*. Avec ça, ces Gaëls mal élevés vont avoir une drôle de surprise.

– Ils ne verront rien de tous ces sortilèges, annonça Diancecht, le dieu-médecin. Il n'y a pas pire aveugle que celui qui ne veut rien voir. Je vais m'assurer qu'ils ne s'aperçoivent pas que nous sommes intervenus en agissant sur leur vue. Leur désespoir n'en sera que plus grand s'ils ne comprennent pas ce qui leur arrive.

Au cours de la nuit suivante, des dizaines de dieux parcoururent Ériu, sous forme de brume, de vapeur, de vent léger ou violent, de gouttelettes de pluie, de grêlons, mais aussi d'insectes, de rongeurs et d'oiseaux nocturnes.

Profitant du sommeil des Gaëls, les uns s'introduisirent en douce dans les maisons, comme l'avait recommandé Dagda, les autres dans les étables ou dans les remises où les mortels avaient entreposé leurs outils. Il leur fallut peu de temps pour mettre en application le plan que Dagda et Lug avaient concocté pour assurer leur vengeance. Au petit matin, heureux de ce qu'ils avaient accompli, ils regagnèrent le Síd, sans que personne ne puisse soupçonner leurs méfaits.

Le résultat de ces manœuvres des Thuatha Dé Danann ne tarda pas à se faire sentir. Quand, au matin, les matrones mirent du lait à bouillir dans les chaudrons qui avaient été frottés de nigritelle noire, il tourna. De même lorsqu'elles passèrent le pas de leurs portes avec de nouveaux pots de lait frais. Il n'y avait plus moyen pour elles de préparer les repas. Pire encore, dans les prés et les étables, le lait se mit à tarir aux pis des vaches et des chèvres. Plus une goutte du précieux nectar ne coula.

Dans les champs, les paysans eurent beau tourner, retourner la terre et semer, rien ne leva, et même les récoltes qui auraient dû être prêtes pourrirent sur tige. En quelques jours, les Gaëls virent toutes leurs cultures ravagées. Il n'y avait plus ni lait ni blé dans tout le pays. Même leurs animaux domestiques commençaient à dépérir, faute de fourrage.

Dévasté, Érémon convoqua ses principaux conseillers. N'étaient-ils venus dans cette île que pour mieux y mourir?

– Nous avons perdu une partie de nos valeureux guerriers pour la conquête de cette île Verte dans la bataille contre les Tribus de Dana, soupira Luighne, l'un des fils jumeaux du roi gaël.

– Et presque autant en nous battant contre Éber, compléta Laighne, le second jumeau. Cet endroit nous porte malheur.

– Et maintenant, nous allons crever de faim! s'insurgea Gosten, l'un des plus valeureux capitaines du roi.

– Colphta, Amorgen, quel est votre avis? demanda Érémon aux deux druides qui n'étaient pas encore intervenus.

– Notre avis est que rien ne va plus, gronda Amorgen. Et que tout est de ta faute, Érémon. Les Gaëls ne respectent plus l'ordre ni la loi.

– Mais, voyons… s'étonna Gosten. Nous n'avons rien fait de mal.

– C'est ce que tu crois! lança Colphta sur un ton plein de remontrances. Pour commencer, vous trahissez les us et coutumes des Celtes. En tant que druides, nous aurions dû parler les premiers... Mais non, vous ne respectez plus les usages...

Érémon se mordit les lèvres et les nobles du conseil pris en faute baissèrent la tête.

– Depuis l'arrivée des Fils de Milé dans l'île Verte, intervint alors Celtina qui s'était jointe à la réunion en se faufilant dans le sillage d'Amorgen, vous avez voulu établir de nouvelles règles, de nouveaux modes de vie, en reniant les lois anciennes, et surtout, comme le voulait Ith, en ne tenant pas compte des dieux. Maintenant, vous devez payer le prix de votre rébellion.

– Tu crois que ce sont les Thuatha Dé Danann qui se vengent? demanda Érémon à Amorgen. Ils ont pourtant accepté le jugement du sage Fintan. Ils règnent dans le Síd et nous gouvernons la surface de la Terre...

– Les dieux n'ont pas renié leur parole, lança Celtina, terriblement vexée d'entendre que la promesse de Dagda ait pu être remise en cause, surtout en l'absence du principal intéressé.

– Si ce ne sont pas les dieux qui se jouent de nous, alors c'est que cette île est maudite! Nous devrions retourner sur les Côtes de la Mort, lança Luighne, tandis que son frère jumeau opinait de la tête pour soutenir son avis.

Pendant que les Gaëls échangeaient des avis contradictoires, Amorgen et Colphta se retirèrent à l'écart pour se consulter. Amorgen fit signe à Celtina de les suivre en dehors de Míodhchuarta où se déroulaient toutes les réunions importantes qui nécessitaient la présence de nombreuses personnes.

Tous les trois se dirigèrent en silence vers le mont des Otages, où se dressait un grand tertre, majestueux et sacré. C'était par là que les Thuatha Dé Danann s'étaient enfoncés sous terre après le jugement de Fintan.

– Celtina, tu dois nous aider! lui lança Amorgen, en désignant le tertre. Tu dois te mettre en contact avec Dagda pour lui demander de venir discuter avec nous.

La jeune prêtresse esquissa un sourire ironique. Les mortels étaient décidément fort dépourvus sans le soutien des dieux. Le vieux druide lui parut soudain bien humble et fatigué.

– Je sais que les propos et les comporte-ments d'Ith et d'Éranann t'ont particulièrement blessée, lui dit-il. Toutefois, tu sais que j'ai toujours cherché à maintenir les croyances des Celtes en perpétuant nos coutumes et nos traditions, même lorsque mes idées allaient à l'encontre de celles de la majorité d'entre nous. Nous, les druides, nous savons l'importance que les dieux ont pour notre peuple... même si certains refusent d'y croire.

– Aide-nous à parler à Dagda et nous te promettons de tout mettre en œuvre pour que le culte aux Thuatha Dé Danann ne s'éteigne jamais à Ériu, ajouta Colphta, avec de grands yeux tristes et suppliants.

Celtina détourna la tête et son regard s'attarda sur le tertre du mont des Otages.

– Je sais ce que tu penses! lui lança Amorgen. Tu te dis que si tu refuses de nous aider, si tu nous laisses mourir de faim dans cette île, alors les Tribus de Dana pourront en reprendre possession facilement.

Celtina se retourna vivement vers lui.

– C'est vrai que cette pensée m'a traversé l'esprit. Mais, malgré vos manigances contre moi et les dieux, je ne peux pas me résoudre à vous voir tous mourir les uns après les autres. Je vais vous aider. Laissez-moi seule. Retirez-vous dans la salle des banquets. Je vais tenter de joindre Dagda.

Les deux druides esquissèrent un geste amical pour la remercier, mais elle s'esquiva.

– Je ne peux pas vous garantir le succès de ma démarche. Les dieux sont en droit d'être fâchés contre vous et de ne plus vouloir vous parler. Je vais faire de mon mieux, c'est tout!

Chapitre 3

Le feu crépitait sous un ciel sombre chargé de nuages menaçants. L'atmosphère était lourde, l'orage n'allait sans doute pas tarder à éclater. *Taranis est en colère contre les Gaëls*, songea Celtina, en examinant le ciel. Elle s'attendait à tout instant à y voir danser les foudres des triskells que le dieu du Tonnerre s'apprêtait à précipiter vers la Terre.

Assise en tailleur, le visage éclairé par la lumière dansante des flammes, Celtina se détourna finalement des signes précurseurs de l'orage. Elle concentra toute son attention sur le feu, puis s'employa à y jeter des tiges épineuses et des têtes ébouriffées d'askol* bleu dans un chaudron rempli d'eau bouillante qu'Amorgen lui avait apporté, à sa demande, quelques minutes plus tôt. Cette plante représentait la vie après la mort et avait la réputation d'être efficace pour contacter les esprits invisibles. La prêtresse espérait que ce serait suffisant pour faire sortir Dagda de son refuge du Síd.

Une fois que le liquide se fut mis à chauffer à gros bouillons, l'adolescente retira le chaudron du foyer avec précaution et se pencha au-dessus, l'oreille aux aguets, comme elle l'avait appris dans la Maison des Connaissances, dans l'île de Mona. Dans la vapeur qui s'élevait, elle espérait obtenir la réponse à la question qu'elle marmonna entre ses dents :

– Dagda, m'entends-tu ?

Elle attendit quelques secondes, en vain. La vapeur montait, silencieuse. Les flammes éclairaient le tertre du mont des Otages. Une fauvette zinzinula des notes rauques et puissantes, en survolant le site de Tara. En se tournant vers la salle des banquets, la jeune fille aperçut les druides en train d'allumer les feux. De toute évidence, les discussions entre les Gaëls allaient se prolonger jusque tard dans la nuit. Des éclats de voix lui parvinrent, à peine étouffés par la distance. L'heure était grave. Les partisans du retour sur les Côtes de la Mort avaient des arguments de poids. À quoi bon s'obstiner à rester sur une terre stérile s'il n'était plus possible de nourrir la population ?

Un instant, Celtina eut l'idée de se rendre à Míodhchuarta et de déclarer qu'elle n'était pas parvenue à joindre les Thuatha Dé Danann. Ainsi, ils repartiraient tous en Kallaikoi, et elle avec eux. Malaen lui manquait et elle était pressée de reprendre sa quête des vers d'or. Mais presque aussi vite que ce mensonge lui était venu à l'esprit, la honte de l'avoir imaginé lui vint aux joues.

Elle chassa cette idée indigne de sa tête en secouant ses boucles rousses, puis se concentra de nouveau sur la vapeur qui montait du chaudron. Toujours rien. Arrachant alors une autre poignée de chardons, qui poussaient maintenant comme mauvaises herbes partout à Ériu depuis que la terre ne produisait plus aucune nourriture, elle en jeta directement dans les flammes, en appelant une nouvelle fois le Dieu Bon à mi-voix, comme si elle était embarrassée de perturber ses activités souterraines.

Occupé à se goinfrer de volatiles sauvages que Lug avait chassés pour les dieux, Dagda étouffa un rot, en entendant pour la seconde fois l'appel de Celtina. Puisqu'elle n'était visiblement pas en danger, il ne voyait pas l'urgence de sacrifier un si bon repas pour se précipiter à la surface de l'île Verte. Il terminait lentement son chaudron de cervoise lorsqu'un troisième appel lui parvint. S'essuyant les doigts sur sa tunique maculée, il déplaça enfin son gros corps repu en bas de sa couche.

Déçue du peu de résultat de sa démarche auprès de Dagda, Celtina s'était levée pour s'éloigner lorsqu'elle vit les flammes s'élever avec une vigueur peu commune et des escarbilles* sauter en grésillant en dehors du foyer. Elle se figea dans l'attente de la matérialisation du Dieu Bon.

Un gros corps constitué de flammes vacillantes apparut enfin. Elle aperçut d'abord la tête grossière du dieu et eut un mouvement de recul. Elle ne le reconnaissait pas. En effet, depuis qu'il vivait dans le Síd, Dagda ne voyait plus la nécessité de modifier son apparence lorsqu'il apparaissait aux yeux des mortels. Au contraire, son air hideux lui permettait d'exercer un ascendant certain sur les esprits humains.

Elle découvrit ensuite le reste du corps ventru du dieu couvert d'une courte tunique rouge à capuchon. Ses jambes épaisses comme des troncs d'arbres étaient chaussées de bottes de cuir de bœuf musqué, poils vers l'extérieur. D'un bras tordu comme la branche noueuse d'un chêne plusieurs fois centenaire, il traînait une immense massue montée sur roues.

Aux yeux de Celtina, Dagda était nettement plus impressionnant que lors de leurs rencontres précédentes, tant par sa laideur que par sa stature imposante. Néanmoins, elle savait que sous cette apparence pour le moins repoussante se cachait un cœur généreux, un dieu habile et fort, un être qui l'avait prise sous sa protection et qui l'aimait sans compromis.

Les flammes rouges et jaunes continuèrent à grossir démesurément, puis elles se solidifièrent jusqu'à former complètement l'enveloppe physique de Dagda. Le visage noirci de suie du Dieu Bon s'éclaira enfin d'un large sourire et ses gros yeux globuleux brillèrent d'une lueur d'amusement.

– Alors jeune fille… tu as besoin de moi?

– Je suis heureuse de te voir Dagda… Mais tout aussitôt sa joie prit des accents de tristesse lorsqu'elle ajouta, piteuse: Je suis terriblement désolée de n'avoir pas pu vous prévenir de l'arrivée des Fils de Milé à Ériu.

Le rire en cascade du Dieu Bon déferla dans la plaine où se dressait Tara, comme un énorme roulement de tonnerre, qui se confondait avec les grondements de colère de Taranis. Les Gaëls, effrayés, rentrèrent la tête entre les épaules et regardèrent le ciel avec terreur. Allait-il leur tomber sur la tête?

– Tu crois peut-être que nous ne savions pas que les envahisseurs arrivaient. Depuis le moment même où Ith et Éranann en ont émis l'idée au sommet de la tour de Breogán, nous avons suivi leur progression.

Celtina resta sans voix pendant quelques secondes devant cette révélation, avant de reprendre enfin ses esprits.

– Mais… mais pourquoi ne pas les avoir empêchés de venir jusqu'ici? Je ne comprends pas.

– Même les dieux ne parviennent plus à se mettre tout à fait en travers de la marche du destin, Celtina. Trop de Celtes se détournent de nous. Cela nous prive petit à petit de notre pouvoir d'intervenir dans leurs vies, de modifier leurs décisions, et d'influer sur leurs choix.

– Les Gaëls vous ont refoulés dans le Síd, et vous ne pouvez rien y faire, c'est bien ce que tu es en train de me dire? l'interrogea-t-elle, les yeux au bord des larmes.

– Tant que la Terre des Promesses ne sera pas restaurée, notre monde changera, et ce qui doit arriver arrivera!

Dagda laissa tomber cette sentence avec gravité et Celtina perçut sa tristesse, presque sa résignation.

– Si je parviens jusqu'à Avalon avec tous les vers d'or, sera-t-il encore possible de sauver le monde des dieux et le monde des Celtes? s'enquit la prêtresse qui sentait peser sur ses épaules le poids du découragement.

– Sur le plan spirituel, c'est la seule chose qui puisse sauver nos croyances et nos coutumes. Sur le plan terrestre, d'autres que toi ont reçu la mission de sauver les terres celtes… ajouta le Dieu Bon.

– Maponos et Vercingétorix… glissa Celtina dans un souffle, tandis que le dieu hochait la tête pour confirmer ses suppositions.

– Et quelques autres: Acco des Sénons, Camulogenos des Aulerques-Parisii, Correos des Bellovaques. En agissant sur les deux dimensions, spirituelle et terrestre, nous avons peut-être une chance de préserver notre civilisation, poursuivit Dagda.

Le « peut-être » prononcé par Dagda instilla un sentiment de fatalité dans l'esprit de la prêtresse. Si les dieux eux-mêmes en venaient à douter, comment ne pas baisser les bras ?

– Et pour Ériu, que va-t-il se passer maintenant ? demanda Celtina, en tournant la tête en direction de la salle des banquets d'où des éclats de voix lui parvenaient encore.

– Nous avons accepté le partage établi par Fintan, déclara Dagda. La surface d'Ériu restera entre les mains des Gaëls.

– Oui, mais si la terre reste stérile, elle ne leur servira à rien…

– Nous avons accepté que les Gaëls prennent possession de l'île, mais jamais nous ne leur avons garanti qu'elle demeurerait fertile, lança Dagda avec fermeté, tout en esquissant un petit sourire en coin.

– Tu es rancunier, soupira Celtina. As-tu songé que les Gaëls qui ont déjà perdu foi dans les Tribus de Dana pourraient bien totalement vous renier si cette punition s'éternisait ?

Dagda continuait de sourire sans rien dire, dégustant sa vengeance.

– À l'inverse, poursuivit Celtina, si tu rends la fertilité à Ériu, si de nouveau leurs troupeaux peuvent paître et leur fournir du lait, de la viande, de la laine, si leurs rivières et leurs lacs redeviennent poissonneux, alors ils seront reconnaissants envers vous et rétabliront le culte aux Thuatha Dé Danann.

Celtina pensait avoir trouvé les mots pour flatter l'orgueil du Dieu Bon. Effectivement, ces paroles furent douces à l'oreille de Dagda et vinrent à bout de son entêtement.

– C'est bon! Je vais rencontrer Amorgen et Érémon, mais personne d'autre. Tu peux les prévenir. Qu'ils viennent me retrouver ici…

La nuit était maintenant tout à fait tombée. Le ciel menaçait toujours, mais les foudres de Taranis n'avaient pas encore frappé le sol. Celtina leva les yeux vers l'endroit où Sirona devait se trouver, mais l'astre lunaire demeurait caché. Brusquement, elle vit les nuages devenir luminescents, striés de rouge et de mauve. C'était un spectacle tout à fait étonnant, car il n'avait lieu que très rarement. Finalement, en quelques secondes, les nuages s'écartèrent, s'effilochant en minces fils blancs, et la voûte étoilée retrouva ses lumières scintillantes. Taranis avait rangé ses triskells de feu et n'en menaçait plus les Gaëls.

Aussitôt avertis de l'ordre de Dagda, Érémon et Amorgen, qui pendant toute la soirée n'avaient cessé de guetter de loin ce qui se déroulait aux alentours du mont des Otages, se précipitèrent vers le lieu où le Dieu Bon les avait convoqués.

Après les salutations d'usage, Amorgen, en tant que druide, s'adressa le premier à Dagda :

– Les Gaëls ont respecté la décision du vieux sage Fintan et nous ne comprenons pas pourquoi les Thuatha Dé Danann s'en prennent à nos champs et à nos troupeaux…

– Les champs ne portent désormais que chardons et bruyères, nous ne pouvons en tirer notre subsistance, se plaignit à son tour Érémon. Si cela se poursuit jusqu'à Samhain, nous allons tous périr.

Celtina étudia la physionomie de Dagda, souhaitant que le dieu ait la présence d'esprit de ne pas dire toute la vérité en faisant remarquer aux Gaëls que si les Tribus de Dana avaient accepté de céder la surface de la Terre, elles n'avaient conclu aucun accord pour y assurer l'abondance. Prompts comme l'étaient les Gaëls, elle redoutait leur réaction, car ce genre de réponse ne pouvait qu'installer la discorde encore plus profondément entre les mortels et les dieux.

– Vous avez été châtiés parce que vous nous avez offensés, répondit le Dieu Bon.

Érémon et Amorgen échangèrent des regards d'incompréhension. Comment cela était-il possible, puisqu'ils n'avaient eu aucun contact avec les Thuatha Dé Danann depuis qu'ils s'étaient enfouis sous terre ?

– Comment avons-nous contrarié les dieux ? s'étonna le druide.

– Vos incessants combats, la fureur de vos clameurs, le piétinement de vos chevaux, le bruit de vos épées sur vos boucliers, tout cela a offensé nos oreilles, répliqua le dieu. Vous passez plus de temps à vous battre entre vous qu'à mettre en valeur cette terre exceptionnelle d'Ériu. Vous ne la méritez pas.

Érémon et Amorgen baissèrent la tête ; le reproche de Dagda était tout à fait justifié.

– Nous allons nous amender, promit Érémon. Je veux gouverner en roi juste et sage, avec les conseils de mes druides Amorgen et Colphta.

– Si tu veux que la paix règne dans ton royaume, roi Érémon, je te suggère de ne pas garder Ériu sous ton pouvoir absolu, répliqua Dagda. Ton premier geste sera de diviser cette terre en quatre parties et de confier chacune d'elles à un régent sûr, fidèle et pacifique.

– Ne court-on pas le risque de créer de petits royaumes qui finiront par s'affronter pour le pouvoir suprême ? s'étonna Amorgen.

– Pas si vous savez bien choisir vos régents ! J'ai moi-même divisé le Síd entre plusieurs membres de ma très nombreuse famille, pour le plus grand bien de tous.

– Que suggères-tu ? le questionna Érémon. Donne-moi les noms des régents et je les nommerai.

– Tu continueras d'être roi suprême d'Ériu, mais tu donneras Mhumhain aux quatre fils de ton demi-frère Éber, en compensation de la mort de leur père; tu donneras Connachta à Un et Eadan, les deux anciens chefs de guerre d'Éber, ce sont d'excellents guerriers et de bons conseillers; tu donneras Ulaidh à Emhear, le fils d'Ir qui n'a jamais pu voir les côtes d'Ériu par la faute de Donn, et finalement Laighean sera l'héritage de Sciathbel des Domnonéens...

– Les Domnonéens?... Mais ce sont... ce sont des descendants des Fir-Bolg! s'étouffa Érémon.

– C'est exact. Les Fomoré ont gardé Tory; les Thuatha Dé Danann ont obtenu le Síd; il est tout à fait juste que les Hommes-Foudre aient aussi leur terre, sinon la guerre reprendra entre les dieux et ce sont les Gaëls qui en pâtiront. Sciathbel saura vous protéger et vous aider si les Fir-Bolg décident de revendiquer de nouveau la possession d'Ériu.

Après avoir réfléchi quelques secondes à cette proposition étonnante, Amorgen donna son accord. Érémon fit de même, car il ne pouvait s'opposer à la décision du druide.

Aussitôt avertis, les nouveaux régents des quatre provinces se précipitèrent vers le mont des Otages. En présence de Dagda, ils prêtèrent allégeance à Érémon, le premier Ard Rí[*] des Gaëls qui régnerait depuis Tara, capitale de la cinquième province «royale», An Mhí, dont le nom signifiait «Terre du Milieu».

– Demain matin, surveillez la rosée de la déesse! lança Dagda, énigmatique, en faisant un pas vers le feu que Celtina avait allumé pour le convoquer.

– La rosée de la déesse?! s'exclama Celtina, incapable de retenir ce cri d'étonnement.

– Le lait et le blé, si tu préfères, ajouta le Dieu Bon. Dès demain, vos grains se remettront à germer. Pour éviter que les pis de vos vaches et de vos chèvres ne tarissent, il vous faudra chercher sous la paille de vos étables. Vous y trouverez des tresses de sureau, vous n'aurez qu'à les détresser et à brûler les tiges.

Aussitôt ces paroles prononcées, le feu de camp dégagea de nouveau de hautes flammes et Dagda disparut du mont des Otages dans un tourbillon de fumée.

CHAPITRE 4

La nuit était également bien avancée sur Mor-Breizh, que la lune n'éclairait que faiblement. Les douze bateaux de César, remis en état, faisaient voile vers la Gaule après la victoire sur les Britons de Cantiaci.

Le général romain tirait une grande fierté de cette expédition dans une île jusque-là inconnue, et surtout, il était parvenu à pénétrer sur des terres dont personne dans le monde civilisé n'avait entendu parler.

Les richesses potentielles de ce nouveau pays à conquérir faisaient déjà l'envie des vétérans des armées de César. La joie envahissait les cœurs, et ce fut l'âme légère et la tête remplie de rêves que les deux légions revinrent en Gaule, pour y attendre fébrilement l'ordre d'entreprendre la prochaine campagne de Bretagne que César avait promise à ses soldats pour l'année suivante.

Toutefois, sur la route du retour, deux navires de ravitaillement lourdement chargés perdirent le contact avec les autres. Dans l'obscurité, les pilotes n'avaient pu retrouver leur chemin, et le vent les avait déportés au sud de Bononia, vers un autre port qui n'était pas placé sous la surveillance des hommes de Publius Sulpicius Rufus.

Portant environ cent cinquante soldats chacun, les deux navires accostèrent dans une rade* contrôlée par les Morins.

Aux premières lueurs de l'aube, dès que les Romains mirent pied à terre, une cinquantaine de Belges les encerclèrent. Craxanus le Crapaud, leur chef, un redoutable guerrier rebelle au corps couvert d'innombrables cicatrices gagnées au cours de combats contre ses ennemis gaulois et romains, fut immédiatement séduit par l'espoir d'un butin.

– Jetez vos armes ! ordonna-t-il à Aulus Ninus Virius qui avait pris le commandement des deux navires romains en perdition. Sinon, nous vous exterminons.

Voyant que les Belges étaient peu nombreux, Aulus refusa de se soumettre et fit mettre ses hommes en cercle tout autour de ses bateaux pour les défendre. Puis il appela discrètement son ami Caïus Matius Carantus.

– Va vite chercher des renforts à Bononia !

Le jeune homme sauta sur l'un des chevaux que les légionnaires avaient eu le temps de débarquer en accostant et fonça sur un petit groupe de Morins qui tentèrent en vain de le faire chuter. Distribuant de grands coups de glaive à droite et à gauche, Carantus parvint à se dégager en laissant quatre ou cinq agresseurs pour morts sur la grève de galets et fila à bride abattue en direction du camp de César.

Entre-temps, Aulus Ninus Virius avait donné ses ordres pour que l'on chargeât les balistes qui étaient sur le pont des deux navires avec des projectiles légers, principalement des flèches et des pierres. Il eut à peine le temps de déclencher ses armes de jet contre la cinquantaine de Morins que déjà une clameur effroyable s'élevait dans les bois qui bordaient l'aire de débarquement. Puis retentirent le son des carnyx et le bruit des armes que l'on frappe sur l'umbo* d'un bouclier. Aulus savait que tout ce vacarme n'avait d'autre but que de terrifier l'ennemi et ne s'en alarma pas outre mesure.

Enfin, tels des diables surgissant des enfers, plusieurs centaines de Belges en furie sortirent de derrière les arbres et fondirent sur ses soldats et lui. Le jeune commandant ordonna aux légionnaires de retourner à bord pour se mettre à l'abri sur les deux pontonis* de transport construits l'année précédente par leurs alliés Pictons lors de la guerre que les Romains avaient menée contre les Vénètes.

Il était temps, car déjà les pierres des frondes belges s'abattaient sur les boucliers et les casques de fer des Romains. Le dos tourné à Craxanus qui avait décidé de faire passer quelques-uns de ses guerriers sur les flancs des bateaux, Aulus ne vit pas partir le javelot que le Crapaud projeta en direction de ses omoplates.

– Attention, Virius! hurla un vétéran.

Trop éloigné du lieu de l'action, le légionnaire ne put rien faire, à son grand désespoir, pour dévier la course de l'arme de jet qui filait à grande vitesse.

Aulus bougea la tête sur sa droite, juste assez pour voir le javelot s'affaisser à ses pieds comme s'il avait heurté un mur de protection invisible. Il n'eut guère le temps de se réjouir de cet extraordinaire événement, car le combat faisait rage : les pierres, les flèches, les javelots pleuvaient sur son ponto*.

L'échec de sa tentative au gabalaccos* laissa un moment Craxanus éberlué. Il n'avait jamais manqué une cible à si courte distance, et il se demanda par quel prodige cela avait pu se produire. Attribuant ce raté à la force du vent qu'il avait peut-être mal jugée et qui avait sans doute dévié le trait de bois d'orme trop léger, il opta pour une autre arme de son arsenal.

S'il voulait autant abattre Aulus, c'est que le Crapaud avait compris que le jeune Romain avait pris la responsabilité de la défense des deux bateaux. Il lui fallait donc concentrer son attaque sur lui. S'il parvenait à l'éliminer, le Belge était convaincu que le découragement s'abattrait sur les légionnaires privés de chef. Dès lors, les Morins pourraient se jeter sur le butin que ces deux navires avaient assurément rapporté de l'île de Bretagne.

Installant une pierre ronde de bon poids dans sa fronde, Craxanus visa Aulus Ninus Virius à la tête. Le combat à la fronde était sa spécialité, il ne pouvait pas manquer son coup. Il prit son temps, visa le front du Romain qui cette fois lui faisait face, s'assura de bien tendre les deux cordons de ligaments de bœuf, puis d'un mouvement sec, lâcha la poche de cuir où il avait inséré la balle de fronde.

Lancée avec force, la pierre siffla dans l'air et le léger son attira l'attention du jeune Romain. Ce dernier s'écarta avec agilité du chemin qu'elle allait emprunter, pourtant, contre toute attente, il vit la pierre tomber mollement à une coudée de lui. Aulus resta immobile, stupéfié, fixant le projectile avec une joie certaine, mais également avec crainte. Assurément, il se passait des choses qui n'étaient pas du tout naturelles.

Quelques légionnaires qui avaient remarqué les deux échecs contre leur commandant commencèrent à murmurer qu'il y avait de la magie là-dessous. Ils s'éloignèrent avec un air méfiant.

– Par Hafgan ! jura de son côté le guerrier morin, furieux de ses deux échecs qu'il ressentait comme une insulte à son courage, à sa force et à son habileté.

Il se saisit de sa hache de combat en acier qu'il portait dans le dos, attachée à un harnais de cuir, et la leva bien haut devant lui. Il n'avait jamais vu quelqu'un avoir autant de chance lors d'un combat, et il songea que la tête d'Aulus constituerait un puissant talisman pour protéger sa demeure. Assurément, le crâne aurait une place de choix parmi ses trésors. Il envisageait même déjà le traitement à lui donner pour le convertir en coupe plaquée or, afin de l'exhiber les jours de fête devant ses invités en leur racontant ses exploits contre les Romains.

Je vais le faire bouillir pour en détacher les chairs et la peau, ensuite je le polirai pendant des heures avant de le frotter des meilleurs onguents, puis je l'envelopperai dans les étoffes les plus riches que je pourrai trouver et je le déposerai précieusement dans mon grand coffre, entre mes hanaps dorés et les casques de bronze pris à mes ennemis. Je ne le sortirai que pour honorer mes plus importants invités.

Malgré sa bonne volonté et sa ruse, force lui fut néanmoins de constater qu'Aulus et ses deux à trois cents légionnaires résistaient mieux qu'il ne l'avait prévu, qu'ils étaient bien à l'abri sur leurs navires, et que la tête du commandant romain tenait encore fermement sur ses épaules.

Ne pouvant s'approcher assez d'Aulus pour le frapper de sa hache, Craxanus opta pour une technique qu'il avait vu employer pour la première fois par les Germains. Il soupesa la hache dans sa main pour la saisir correctement, fit un mouvement arrière de l'épaule droite et la lança de toutes ses forces en direction de son ennemi. La hache s'éleva dans les airs et vint se fixer à un doigt du cœur d'Aulus, en plein dans le bouclier d'un légionnaire qui passait à ce moment-là devant son chef. Ni l'un ni l'autre ne furent blessés. Encore une fois, la chance avait sauvé la vie au jeune Romain.

Depuis le déclenchement des hostilités, Aulus Ninus Virius, pour sa part, avait remarqué avec stupéfaction que les balles de fronde celtes semblaient bifurquer lorsqu'elles arrivaient à une certaine distance de lui, soit elles frappaient quelqu'un d'autre, soit, tout simplement, elles s'écrasaient sur le pont du bateau sans lui causer de dommage. De la même manière, les javelots ennemis se déroutaient de sa personne pour se ficher dans un mât, dans le bois d'une baliste, dans un bouclier ou, parfois, dans le corps d'un autre soldat. Si quelques-uns de ses hommes affichaient de belles estafilades* aux bras ou au visage, pas une goutte de son propre sang n'avait encore été versée, et pourtant la lutte était âpre.

Après une heure de combat, les Belges voulurent adopter une nouvelle tactique.

Plutôt que d'essayer d'atteindre les Romains à distance, ils décidèrent de se lancer dans des corps à corps meurtriers. Aulus se méfiait des épées gauloises à double tranchant qui étaient de bonne qualité et souvent meurtrières. Il lui fallait à tout prix empêcher les Morins de mettre le pied sur les pontonis pour éviter d'avoir à subir des assauts en combat rapproché.

– Je me demande bien si Carantus a réussi à se rendre à Bononia pour ramener des renforts, lui glissa un porte-enseigne de sa légion.

– Je l'espère, lui répondit Aulus. Mais il vaut mieux faire comme si ce n'était pas le cas et ne compter que sur nous-mêmes pour nous sortir de ce guêpier.

– Tu sembles avoir la chance de ton côté, lui lança encore le légionnaire. Au début, les hommes ont eu peur de ta bonne fortune, mais maintenant, certains murmurent que les dieux te protègent, et cela leur donne bon espoir de s'en sortir vivants.

Aulus s'était fait la même réflexion. Si les armes se détournaient ainsi de lui, c'était que Mars veillait. Il n'avait aucun doute là-dessus. Il repensa aux cérémonies que son père avait organisées à l'automne. Assurément, le dieu de la Guerre avait été satisfait des hommages qu'on lui avait rendus et avait étendu sa protection sur lui.

S'il avait su qu'il devait la vie à la magie de Banshee la Celte, peut-être aurait-il eu plus de crainte de voir sa chance le quitter. Mais comme il ne savait rien du pacte que son père avait conclu avec la mère de Celtina, il se dit que pour avoir le cœur net sur le degré de protection dont il bénéficiait, il n'avait qu'une solution : provoquer la mort en face. Il leva donc bien haut son glaive et se jeta dans la mêlée, alors qu'un groupe d'une dizaine de Morins avait réussi à se hisser sur son bateau.

Frappant à droite, frappant à gauche sur les casques de fer et de bronze de ses ennemis, il sema rapidement le désordre dans les rangs belges.

– Méfie-toi de leurs langkias*, lui lança le porte-enseigne qui avait suivi Aulus, autant pour bénéficier de la supposée protection divine qui l'entourait que par admiration pour l'intrépidité de son jeune commandant.

En effet, un groupe de fantassins morins s'était maintenant engagé dans la bataille et leurs longues lances qui pouvaient être tenues à la main ou lancées constituaient de redoutables armes. Mais Aulus Ninus Virius, enivré par l'odeur du sang, par sa fougue, par la brutalité des combats, ne faisait preuve d'aucune retenue. Il se sentait investi d'une force inexplicable, entouré d'un mur de protection infranchissable. Devant lui, les boucliers et les casques se fendaient, les corps tombaient, les armes se brisaient. Il était devenu comme fou. De plus, ses hurlements et ses succès encourageaient ses hommes à adopter le même comportement.

Aulus Ninus Virius tint sa position sans faillir pendant près de quatre heures. Ses trois cents légionnaires et lui parvinrent à repousser les attaques furieuses de plusieurs milliers de Gaulois.

Malgré tout, la fatigue commençait à gagner les bras romains. Les glaives tombaient moins lourdement sur les têtes ennemies et les pierres des balistes manquaient leur but une fois sur deux. Il devenait de plus en plus difficile de repousser les Gaulois qui avaient pris pied sur le pont des navires et d'en empêcher d'autres de les imiter. Aulus avait perdu peu d'hommes, mais à chaque fois qu'un légionnaire succombait, il savait que ses chances de tenir plus longtemps allaient en s'amenuisant. De plus, il ne cessait d'entendre dans le lointain le son des carnyx annonçant l'arrivée prochaine de nouveaux combattants celtes.

Son regard enfiévré accrocha soudain un immense nuage de poussière au loin, au-dessus de la cime des arbres.

– Les renforts, les renforts! hurla un soldat.

La bonne nouvelle courut rapidement sur les deux bateaux et l'ardeur des légionnaires redoubla. Quant aux Belges, comprenant que la redoutable cavalerie de César se ruait sur eux, ils surent que la bataille était perdue.

Après un moment de flottement, ne sachant quel comportement adopter, Craxanus tenta une dernière fois d'atteindre Aulus. Le jeune homme se dressait, couvert du sang de ses adversaires, de sueur et de poussière sur le pont de son navire, auréolé d'un nouveau prestige pour cette victoire improbable. Le Crapaud jeta un dernier javelot dans sa direction, mais une fois encore, le jet mourut aux pieds du Romain comme s'il ne s'agissait que d'un vulgaire brin d'osier transporté par le vent.

Le Morin étouffa un cri de rage et ordonna la retraite des six mille combattants qui s'étaient engagés dans cette vaine rébellion. Plusieurs Belges jetèrent leurs armes pour fuir plus vite lorsque la cavalerie arriva sur la plage de galets. Ceux qui n'eurent pas le temps de regagner l'abri des bois furent massacrés sans pitié.

Le lendemain de cette mémorable bataille, César convoqua son lieutenant Titus Labienus dans une des maisons de style romain qu'il avait fait construire à Bononia.

– Je t'ordonne de châtier les Morins qui se sont révoltés. Mets leurs villages et leurs champs à feu et à sang. Je ne veux plus rien voir debout dans ce pays.

Labienus prit le commandement des légions qui avaient été dans l'île de Bretagne et se chargea de la besogne. Cette fois, comme les marais du pays morin étaient à sec, les Belges ne purent y trouver refuge. Des milliers d'entre eux furent massacrés, tandis que les femmes et les enfants furent faits prisonniers et réduits en esclavage. Ces esclaves furent envoyés, pour la plupart, dans des oppida contrôlés par les alliés de César, tandis que d'autres prirent le long et périlleux chemin de Massalia, vers les points de vente des frères Mikaélidès.

Quintus Titurius Sabinus et Lucius Aurunculeius Cotta, pour leur part, furent envoyés chez les Ménapes, dont de nombreux clans avaient soutenu les Morins sur le champ de bataille. Après avoir ravagé les champs, coupé les blés, brûlé les habitations, les deux lieutenants de César revinrent satisfaits auprès du général triomphant. Dans leur malheur, les Ménapes eurent plus de chance que les Morins, car ils avaient pu se réfugier dans les impéné-trables forêts de leur territoire et ne furent donc pas décimés.

À la suite de son éblouissante résistance face à l'ennemi, Aulus fut convoqué à Rome où le Sénat tint à le féliciter personnellement de sa vaillance au combat. Le Sénat décréta aussi vingt jours d'actions de grâces pour célébrer à la fois le succès de la première campagne de l'île de Bretagne et l'incroyable victoire sur les Morins.

Chapitre 5

Aulus Ninus Virius pénétra dans la cour du domaine de son père au galop. Personne ne l'attendait et la surprise fut grande dans la villa. Caradoc le vit le premier et l'enfant se précipita entre les pattes du cheval pour accueillir son « grand frère » avec empressement. Le bambin poussait de tels cris d'allégresse qu'il finit par attirer l'attention de Tullia, la vieille nourrice nubienne. À son tour, la femme lâcha des exclamations de joie, tout en entraînant son protégé vers l'atrium.

Aussitôt l'intendant prévenu du retour du jeune maître, des ordres fusèrent et les esclaves se précipitèrent pour préparer sa chambre. Caradoc continuait à papillonner autour du légionnaire, lui posant mille et une questions, sans même laisser le temps à Aulus d'y répondre. Celui-ci riait des cabrioles que son petit protégé faisait autour de lui pour attirer son attention.

Alerté par les cris et les rires, Titus Ninus Virius, qui travaillait dans son bureau, se hâta de rejoindre son fils. Il le trouva dans la salle d'eau attenante à ses appartements en train de se débarrasser des souillures de la route, le visage et les avant-bras plongés dans un cratère d'eau fraîche que Tullia lui tendait avec des yeux attendris.

Titus serra avec chaleur Aulus dans ses bras, puis lui tâta tous les membres pour s'assurer qu'il n'était pas blessé. Les nouvelles de son exploit avaient déjà fait le tour du pays. Le maître sentit monter en lui une immense bouffée de fierté pour le rude combattant qu'était devenu son fils.

– Depuis quand es-tu de retour ? demanda Titus Ninus Virius.

– Je suis arrivé à Sienna hier soir. Tu sais que je suis convoqué à Rome devant le Sénat… lança Aulus avec un petit ton de supériorité dans la voix.

– C'est un honneur immense ! confirma le père, dont les yeux brillaient d'orgueil.

Un instant, Titus Ninus Virius fut tenté de raconter à son fils comment il s'était assuré qu'il ne lui arrivât jamais rien, en demandant à Banshee de l'entourer d'un mur de protection, mais il se retint. À coup sûr, Aulus se moquerait de ses superstitions. Qui plus est, en découvrant qu'il s'agissait de croyances celtes, il risquait de se mettre dans une de ces colères dont il était coutumier quand il était enfant. Cet accord entre Titus et son esclave devait demeurer pour toujours scellé par le silence. Ce secret ne serait jamais divulgué ni à Aulus ni à quiconque.

– Quand dois-tu te présenter devant le Sénat? poursuivit Titus Ninus.

– Demain dans l'après-midi, fit Aulus en soulevant Caradoc à bout de bras. Et je compte bien t'y emmener, mon petit bonhomme! ajouta-t-il en chatouillant l'enfant.

Banshee arriva sur ces entrefaites. Aulus reposa Caradoc sur le carrelage de marbre blanc et le garçon se précipita vers sa mère en chantonnant:

– Je vais à Rome! Je vais à Rome!

La mère de Celtina darda ses yeux verts sur les deux Romains. Comme toujours, cela mit Titus Ninus mal à l'aise. Mais Aulus soutint son regard avec fermeté.

– Il est temps que Caradius voie la plus belle ville du monde, lança-t-il.

– Caradius! s'étouffa Banshee, qui avait peur de comprendre que cette déformation du prénom de son fils n'était pas due à une erreur de prononciation.

– Toute la Gaule est tombée! se vanta le Romain. Dans quelque temps, vous serez tous citoyens romains. Il est temps que ton fils cesse de vivre comme un barbare. Désormais, il s'appellera Caradius Aulus Virius. Et je ne tolérerai aucune altération de son nom. Même, toi, sa mère, tu devras l'appeler ainsi.

Les yeux de Banshee se rétrécirent jusqu'à former deux fentes, ses narines frémirent et ses lèvres serrées s'étirèrent en une mince ligne rouge pâle. La fureur grondait dans son cœur.

Titus Ninus Virius prit peur. Comme il en avait déjà fait l'expérience deux fois, il savait la Celte dotée de pouvoirs qui le dépassaient.

– Va nettoyer la cuisine ! lui ordonna-t-il pour l'éloigner de son fils, car il craignait qu'elle n'exerçât sa vengeance en lui jetant un sort ou pire, en lui retirant la protection contre les mauvais coups qu'elle avait étendue sur lui. Nous reparlerons de tout cela plus tard, quand la tranquillité sera revenue dans cette maison.

Banshee inspira profondément à plusieurs reprises pour retrouver son calme, puis tourna les talons en traînant Caradoc par la main. L'enfant regimba, mais elle demeura sourde à ses protestations, et le tira hors de la pièce d'une poigne ferme.

Titus Ninus Virius fit en sorte que son fils ne croisât pas Banshee, et ce jusqu'au lendemain, au moment où le légionnaire avait décidé de se mettre en route pour gagner Rome.

– Écoute, dit-il à son esclave. Caradoc – et il insista sur la finale en oc du prénom celte – ne risque rien avec Aulus. Laisse-le aller à Rome. Il fera une belle promenade, et ça contentera mon fils, en plus de désamorcer la tension entre vous deux qui rend l'air de cette maison irrespirable.

– Tu as promis de nous libérer lorsque la guerre serait finie! insista Banshee, le front buté et l'air hautain.

– Je tiendrai ma promesse! la rassura le maître de maison. Mais je doute que ce moment soit venu. Aulus dit que la Gaule est sous contrôle romain, mais cela ne correspond pas aux nouvelles que j'ai de la guerre, telles que me les rapportent certains vétérans de mes amis qui ont des postes de commandement dans l'armée. Mon fils flotte encore sur son nuage de gloire. Il croit tout savoir, mais se trompe. Certaines tribus résistent encore et la rébellion risque à tout moment d'embraser toute la Gaule.

Le visage de Banshee s'illumina d'une rapide lueur de joie. Les propos de Titus Ninus Virius venaient confirmer ses pressentiments et ses visions. Tout n'était donc pas encore perdu pour les Gaulois. Cette information obtenue de source sûre mit un peu de baume à son cœur.

– Laisse Aulus faire visiter Rome à ton fils. On ne te demande pas de le quitter à tout jamais. Il ne partira que deux jours.

– C'est bon! laissa tomber Banshee, en soupirant. Elle ne tenait pas à affronter Aulus, du moins pas pour le moment.

Pourtant, ce voyage ne lui disait rien de bon, mais elle tut ses appréhensions de mère.

Monté sur son cheval et tenant fermement Caradoc devant lui, Aulus franchit l'une des sept collines qui entouraient la cité-État, suivi de son esclave Kadista. L'équipage pénétra par l'une des trente-sept portes dans la colossale ville aux larges voies pavées de grandes dalles.

Caradoc n'en croyait pas ses yeux en découvrant les temples au fronton sculpté, les alignements de colonnades, les aqueducs, les égouts, les thermes, les jardins, les théâtres et les immenses statues de marbre et de bronze représentant les dieux et déesses du panthéon romain un peu partout dans la ville. Aulus lui nomma Apollon, Diane, Janus, Junon, Jupiter, Mars, Minerve, Neptune et Vénus.

Mais surtout, ce qui étonna le plus le bambin, ce fut le monde grouillant de la rue. Jamais il n'avait vu autant de gens rassemblés en un seul endroit. Dans ses souvenirs, Barlen avait été un grand village à ses yeux d'enfant, mais ce qu'il voyait cette fois dépassait ses capacités de compréhension.

Les trois visiteurs s'arrêtèrent aux abords du Forum d'où partaient trente et une routes militaires et devant lequel déambulaient des centaines de personnes : soldats, marchands, habitants vaquant à leurs occupations, scribes ou simplement promeneurs en toge blanche, qui causaient philosophie ou propageaient les dernières nouvelles sur les grands de ce monde ou sur l'état de la guerre.

Tout en poursuivant sa route, Aulus nommait les bâtiments devant lesquels ils passaient. En s'arrêtant en face d'un temple circulaire, il lança :

– Voici le temple de Vesta. Il est rond à l'image de la rondeur de la Terre. C'est là que sont déposés les objets sacrés, dont l'effigie de Minerve, qu'Énée* a ramenée en Italie. Si ces objets venaient à disparaître, la sécurité de la ville serait menacée. Six vestales* veillent dans ce temple et font en sorte que le feu qui y brûle, et qui représente le feu au centre de la Terre, ne s'éteigne jamais.

Caradoc fronça les sourcils. Il n'y comprenait rien. Qui était cet Énée ?... Et ces vestales, c'était quoi exactement ? Quant aux objets sacrés, il s'interrogeait encore plus. Était-ce l'épée de Nuada, la lance de Lug, le chaudron de Dagda et la pierre de Fâl, comme le lui racontait sa mère quand elle lui parlait des exploits des Thuatha Dé Danann ? Il sentait bien qu'Aulus avait des croyances autres que celles de sa famille, mais il ne parvenait pas encore à faire la différence.

Le bambin ouvrait de grands yeux étonnés. En lui, des pans entiers de culture celtique se mêlaient à des bribes de croyances romaines, et il n'arrivait plus à départager les uns des autres. Mais il n'osait pas poser de questions à son «grand frère». Il emmagasinait l'information en se disant qu'il finirait par comprendre quand il serait plus vieux, comme le lui répétait souvent Banshee quand il l'interrogeait sur certains mystères de la vie.

Aulus interrompit les réflexions de l'enfant en s'arrêtant devant une splendide maison récemment construite.

– Nous allons loger chez le frère de Caïus Matius Carantus. Kadista, veille à nous installer confortablement. Et surveille le gamin. Je dois me rendre tout de suite au Sénat pour recevoir les honneurs. Ensuite, Caradius, nous irons assister aux jeux.

L'enfant explosa de joie. Aulus lui avait déjà parlé des tigres et des éléphants, mais il n'en avait jamais vu. À n'en pas douter, ces jeux constitueraient sûrement le plus beau moment de son voyage à Rome.

L'après-midi même, deux heures après que le soleil eut atteint le zénith, Caradoc s'installa avec Aulus sur un banc de bois d'un amphithéâtre circulaire. Cette construction temporaire avait justement été érigée pour les fêtes que le Sénat venait de décréter pour rendre honneur à César, dont l'expédition dans l'île de Bretagne était considérée comme un grand succès.

Une tribune d'honneur accueillait les nobles et les responsables locaux, qu'Aulus nomma pour son protégé. Ce dernier ne retint aucun nom, trop occupé à admirer, dans l'arène, le sable blond ramené d'Égypte par pleins bateaux et qui brillait au soleil. César n'était pas présent, et l'enfant le regretta. Il aurait tellement aimé voir le grand homme dont le nom couvert de gloire fleurissait sur les lèvres de tous les Romains.

Fébrile, le garçon attendait le début des spectacles, les venationes, qui mettaient en scène des animaux et reproduisaient surtout des scènes de chasse. Tous les animaux présentés dans la fosse n'étaient pas forcément féroces : c'était notamment le cas des chameaux ou des chèvres sauvages. Toutefois c'était surtout les lions, les panthères, les ours et les éléphants importés d'Afrique qui soulevaient l'enthousiasme de la foule et qui étaient les vedettes du spectacle.

Après la présentation des bêtes, les jeux commencèrent. Une chasse mit d'abord en vedette des renards et des lièvres. Pourtant, si la foule hurlait et encourageait les goupils aux poils roux, le délire n'avait pas encore gagné les spectateurs.

Après ce premier spectacle, qui n'était en fait qu'un hors-d'œuvre avant le plat principal, d'autres scènes de chasse avec des animaux locaux, comme des loups et des ours, suivirent. Puis vint le défilé tant attendu des éléphants, des girafes, des dromadaires, des gazelles, des chacals, des fennecs, des ibis, des faucons, et même d'une hyène et d'un crocodile du Nil qui arracha des petits cris d'enthousiasme et mille et une questions à Caradoc.

Enfin, pour clôturer les jeux, le divertissement principal fut annoncé par les hérauts et les trompettes. Deux prisonniers enchaînés et récalcitrants furent introduits dans l'arène. Leur gardien retira leurs chaînes et se hâta de sauter par-dessus le muret qui isolait la scène des spectateurs, car deux lions grondants venaient d'être libérés dans l'enceinte.

Armés de filets et d'un trident, les deux hommes durent faire preuve de ruse et d'agilité pour échapper aux griffes des félins qui, dans une danse mortelle, tournaient autour d'eux en cercles de plus en plus rapprochés. Tout le monde savait que le combat était inégal. Tôt ou tard, épuisés, les deux prisonniers finiraient par s'écrouler dans l'arène où les bêtes féroces les déchiquetteraient à belles dents. Les lions ayant été privés de nourriture depuis l'avant-veille, ils étaient avides de chair fraîche.

Lorsque le premier prisonnier, essoufflé à force d'esquiver les lions, mit un genou à terre pour refaire temporairement ses forces, tandis que son compagnon attirait les félins pour faire diversion, Caradoc éclata en sanglots. La physionomie de l'homme aux cheveux blonds et à la longue moustache paille venait de lui rappeler son père.

– Gwenfallon ! hurla-t-il.

Désespéré, Aulus tenta de faire taire le bambin en lui mettant sa large main sur la bouche. Mais celui-ci la mordit.

Sous l'insulte, le légionnaire s'empara sans ménagement du petit garçon de six ans à peine, le jeta sur son épaule et sortit précipitamment de l'amphithéâtre sous le regard sardonique de plusieurs soldats qui étaient venus assister aux jeux en famille.

Dans sa fuite précipitée, Aulus croisa plusieurs soldats de sa légion et il eut honte du comportement de Caradoc. *Ils vont croire que c'est mon fils et qu'il ne sait pas se tenir ou que c'est un froussard*, songea-t-il rageur.

Passant par des ruelles obscures et encombrées, Aulus Ninus Virius traîna l'enfant en larmes vers la maison qui les accueillait. Furieux, le légionnaire le laissa sous la surveillance attentive et compréhensive de Kadista, avant de s'en aller par les rues, pour calmer sa rancœur et sa déception.

Vaincu par le chagrin, le bambin finit par s'endormir. Mais son repos fut peuplé de cauchemars. Il vit un géant au cou de girafe, portant un casque arborant des défenses d'éléphant. Son visage avait la forme d'une gueule de crocodile et des dents longues et coupantes comme des sabres. Gwenfallon, armé d'un simple filet, combattait ce monstre dans le sable blond qui jaillissait tout autour de lui.

Au moment où la gueule de crocodile se refermait sur une jambe de son père, l'enfant hurla. Kadista, qui le veillait avec tendresse, lui appliqua des compresses fraîches sur le front comme il l'avait vu faire à Banshee quand le petit était souffrant.

Puis le rêve changea. Cette fois, Caradoc vit un gros reptile, si imposant qu'il faisait déborder l'eau de la mer jusqu'à inonder le domaine de Titus Ninus Virius, emportant tout sur son passage, et il vit surtout Banshee qui ne parvenait pas à résister au déferlement des flots.

Au soulagement du petit garçon, Mac Oc apparut enfin. Le Jeune Soleil attacha le serpent par une chaîne à deux énormes bœufs. Les bovins tirèrent le serpent pour éloigner le reptile jusqu'à un monticule de terre émergée où sa mère avait trouvé refuge. À la fin, Caradoc vit l'un des deux bœufs succomber d'épuisement, puis l'autre, à cause du chagrin causé par la perte de son ami.

L'enfant se réveilla en sursaut, brûlant de fièvre, hurlant de terreur et en larmes. Son rêve avait mêlé les jeux romains à une vieille légende celte parlant d'un déluge qui avait failli emporter le monde aux temps anciens.

Son esprit était désormais tiraillé entre deux cultures qui s'affrontaient dans ses cauchemars, comme elles s'opposaient sur les terres gauloises.

Chapitre 6

Sur l'île Verte, le cauchemar des Gaëls avait pris fin et les choses s'arrangeaient pour le mieux. Comme Dagda l'avait promis, les champs retrouvèrent rapidement leur fertilité et les vaches et les chèvres fournirent de nouveau ce lait si précieux à la fabrication des fromages et du beurre dont raffolaient les Celtes. Chaque matin, la rosée de la déesse coulait en abondance au grand soulagement de la population.

Puisqu'elle avait tenu sa parole en convainquant Dagda de lever la punition qu'il avait infligée aux mortels, Celtina demanda à Amorgen de tenir la sienne en lui révélant ce qu'il lui avait promis en échange de son intervention auprès des Tribus de Dana.

– Il est temps pour moi de reprendre ma quête, annonça-t-elle un matin au druide des Gaëls. Je ne sais pas comment tu as fait, Amorgen, pour connaître la partie du secret qui a été confiée à Éranann, mais maintenant tu dois me la dire.

– J'ai tout simplement sondé l'esprit d'Éranann lorsqu'il est tombé, le crâne fracassé, sur le pont de notre navire. Si tu n'avais pas été aussi déstabilisée par cette chute mortelle, tu aurais pu en faire tout autant et tu serais en possession du vers d'or depuis longtemps, lui lança le vieux druide sur un ton où perçaient des accents moralisateurs.

Celtina chercha son souffle. Elle se rendait compte qu'elle avait encore beaucoup de choses à apprendre. Même si elle était l'Élue, elle n'avait pas acquis assez de maturité pour ne pas se laisser troubler par les événements et garder toutes ses facultés bien affûtées quelles que soient les circonstances.

– Éranann n'avait pas fermé son esprit pour te permettre de t'y introduire…, martela Amorgen. Mais toi, tu n'as pas pris la peine d'essayer. Moi, je ne suis pas ton ennemi, ce n'est donc pas un danger si j'ai pu connaître le vers d'or qui t'était destiné, mais imagine ce qui se serait passé si un Fomoré s'en était emparé, ou un druide renégat*, fidèle allié de César. Tu ne dois plus commettre une telle erreur, jeune prêtresse!

– J'y veillerai, Amorgen! répliqua Celtina, confuse et la fierté écorchée.

Où s'en était donc allée la spontanéité de l'enfance qui l'habitait? Celle qui lui avait jusqu'à présent permis de découvrir plusieurs vers d'or assez rapidement et facilement. À trop vouloir réfléchir, elle se demanda si elle n'avait pas laissé trop de place à la réflexion au détriment d'une certaine fraîcheur et vivacité d'esprit dans l'action. *Je dois mieux équilibrer mon caractère. J'ai besoin de spontanéité et de réflexion, mais je ne peux pas me laisser emporter par l'une aux dépens de l'autre.*

– J'y compte bien ! poursuivit Amorgen. Voici donc le vers d'or d'Éranann : « Trois choses doivent être en voie de disparition : l'Ignorance, le Mensonge ou l'Erreur et la Mort. » Et réfléchis bien au sens du premier mot de cette sentence, insista-t-il, en fixant de ses puissants yeux de druide ceux de la jeune fille.

Celtina baissa la tête, livide et tremblante. En fait, elle comprenait surtout que les propos du druide n'avaient d'autre but que de lui faire prendre conscience que son ignorance avait failli causer bien des maux aux Celtes, car si le vers d'or d'Éranann avait été perdu, c'en aurait été fini de sa mission.

Finalement, ce fut Érémon qui mit un terme à sa gêne en intervenant dans la conversation pour en revenir à des considérations moins philosophiques.

– Comptes-tu te rendre sur les Côtes de la Mort ?

– Oui. Je veux reprendre Malaen, et je pense que deux apprentis druides que j'ai connus à Mona – Gildas et Tifenn – vivent dans les environs…

– Puis-je te charger d'une autre mission ? demanda le roi des Gaëls. Puis, constatant qu'elle poussait un soupir qui pouvait ressembler à du découragement, il se hâta d'ajouter : Rien de bien grave, rassure-toi. J'aimerais simplement que tu dises à Breogán et aux Artabros qui sont restés en Kallaikoi que tout va bien pour nous, que nous sommes en sécurité et heureux dans l'île Verte.

– Nous ne retournerons jamais dans notre pays d'origine, et nous ne reverrons jamais le vieux Breogán. Il sera rassuré de nous savoir en vie et en bonne santé, ajouta Amorgen.

– Je n'y manquerai pas ! déclara l'adolescente qui, étrangement, se sentit envahie de tristesse à l'idée de quitter les Gaëls auxquels elle était beaucoup plus attachée qu'elle aurait pu le croire.

– Allez, reprends ta route, jeune fille ! Et garde-nous dans ton cœur et tes pensées, conclut Érémon en lui faisant une solide accolade.

– Nous nous reverrons ! lui lança Amorgen, tandis que Celtina se dirigeait vers le tertre du mont des Otages.

Lors de sa conversation avec Dagda, ils avaient convenu qu'elle passerait par le Síd, ce qui faciliterait ses déplacements entre Ériu et les Côtes de la Mort.

Si seulement elle avait su ce qui allait se passer dans le monde des dieux, peut-être aurait-elle préféré choisir l'autre chemin qui, de prime abord, lui avait semblé plus long et plus périlleux, car il l'aurait obligée à franchir la mer sur le dos de Morvach, au risque d'y croiser des navires romains, et à traverser toute la Gaule à pied. Or, cette fois, elle aurait pu tomber sur les légions de César ou des guerriers gaulois poussés à bout par la haine.

Mais il y avait des événements que même les dieux ne pouvaient pas prévoir ou, s'ils le pouvaient, auxquels ils n'avaient pas les capacités de se soustraire.

Ainsi, à peine était-elle arrivée dans le palais merveilleux de Dagda, qu'un vacarme la fit accourir dans la grande salle où le Dieu Bon tenait ses audiences. Elle y trouva Mac Oc, furieux, qui se lamentait d'un manque flagrant de considération de la part de son père.

En effet, lorsque Dagda avait procédé au partage du Síd, peu après la défaite contre les Fils de Milé, Mac Oc était absent. Il s'était rendu dans le Brí Leith, le royaume de Midir, son père adoptif, qui était chargé de parfaire son éducation. Et Mac Oc avait été oublié dans l'attribution des résidences fabuleuses et souterraines.

– Tu dois me donner un palais, fulminait Mac Oc, dont l'épaisse chevelure d'or brillait comme les rayons de l'astre solaire.

– Les absents ont toujours tort, lui répondit laconiquement Dagda, sans se préoccuper le moins du monde de la requête de son fils.

Songeur, Mac Oc fit le tour des trois arbres qui portaient toujours des fruits et qui poussaient au milieu de la salle d'audience du palais de son père. Il remarqua aussi deux cochons qui appartenaient à Manannân, l'un sur pied et toujours vivant et l'autre cuit et prêt à manger; sur une table basse, il aperçut un tonneau qui contenait une bière excellente, brassée par Ceraint. Avec ces cochons et cette bière, personne ne mourrait jamais ni de faim ni de soif dans le Síd. Ils étaient garants de l'immortalité des dieux. Tant que les Tribus de Dana les posséderaient, ils ne disparaîtraient jamais, car ils servaient à les alimenter lors des Festins d'immortalité. Quant aux trois arbres, ils portaient les fruits de la Connaissance et du Savoir, indispensables pour que les dieux puissent gouverner le Síd jusqu'à la fin des temps.

La résidence de Dagda était magnifique et faisait la fierté de son propriétaire. Elle faisait également l'envie de tous, avec son sol de bronze, ses portes de même matière finement ciselées, ses beaux lits d'argent, ses décorations d'animaux fabuleux, et surtout sa bonne table continuellement ravitaillée des meilleurs oiseaux, des plus belles pièces de gibier, des meilleurs poissons, des fruits les plus sucrés et de légumes croquants et succulents. Dagda appréciait également les chants des bardes qui vantaient les exploits des Tribus de Dana sur les Fir-Bolg et les Fomoré, et la musique des harpes et des cornemuses résonnait en permanence entre les murs de la résidence.

Celle-ci était idéalement située, à la frontière des cinq royaumes de l'île Verte, et depuis ce lieu, Dagda pouvait garder en tout temps un œil sur tout ce que les Gaëls faisaient à Ériu.

– Peux-tu me céder ton palais pour la nuit ? demanda finalement Mac Oc en se tournant vers Dagda qui avait repris sa position préférée, c'est-à-dire allongé sur sa couche avec de la nourriture et des boissons à volonté à portée de la main.

– La nuit et même la journée de demain, si cela te chante ! répliqua le Dieu Bon, en croquant à belles dents dans un cuissot de chevreuil idéalement rôti.

Mac Oc remercia son père et se dirigea vers une chambre qui était réservée aux invités afin de s'y installer.

Lorsque le Fils jeune de Dagda se fut éloigné, Celtina prit la parole à son tour, car elle souhaitait que le père suprême lui indique le passage le plus rapide pour se rendre à Briga, en Kallaikoi. Ce que le Dieu Bon fit avec bonne volonté, en lui demandant seulement d'attendre au lendemain pour cheminer dans les passages souterrains du Síd, sans préciser la raison de cette requête.

Bien qu'intriguée par cette demande, la jeune prêtresse se soumit à la volonté du dieu, et elle aussi se dirigea vers une des nombreuses chambres du palais de Dagda, en cherchant à deviner pourquoi elle ne pouvait partir à l'instant même. Mais elle eut beau se questionner et inventer mille et une raisons, aucune ne la satisfit.

Le lendemain, aux premières heures du jour, Mac Oc se rendit de nouveau dans la salle des audiences. Il interrompit Celtina en grande conversation avec son père.

– Dagda, clama le Jeune Soleil, puisque le temps n'est composé que de nuits et de jours et que tu m'as permis de jouir de ta résidence pour la nuit et pour le jour, je déclare que cette demeure est désormais la mienne. Tu as abandonné tes droits sur elle, car tu m'en as cédé la possession pour l'éternité. Tu dois quitter les lieux.

Le Fils jeune tourna les talons et s'en alla hautain et heureux. Celtina manqua s'étouffer avec sa nourriture en entendant les propos de Mac Oc, dont elle comprenait la portée. Toutefois, Dagda ne perdit ni sa bonne humeur ni son sourire, au grand étonnement de l'adolescente.

– Je savais que Mac Oc emploierait cette ruse pour me ravir cette merveilleuse résidence… fit-il en guise de réponse à sa question muette.

– Mais tu n'as rien fait pour l'en empêcher? s'étonna-t-elle finalement.

– J'ai accepté de tomber dans son piège de façon à ce qu'il ne se sente pas lésé. Si j'avais refusé de lui donner sa partie du Síd, il aurait été en droit de me la réclamer par les armes.

– Pourquoi ne pas lui avoir donné sa part tout simplement quand il l'a demandée? le questionna encore Celtina, qui avait bien du mal à suivre la logique tortueuse des dieux.

– Pour ne pas l'humilier. Mac Oc ne devait pas avoir l'air d'un quémandeur, mais d'un vainqueur. En obtenant mon palais par la ruse, il affirme aux yeux de tous les dieux qu'il est le Jeune Soleil, un conquérant et un être à part, pas un vulgaire mendiant. Et maintenant, je vais rassembler mes hommes et mes serviteurs et nous irons nous établir dans une autre de mes résidences, sous la colline de Clasaigh.

– Dagda, vite, à l'aide! lança brusquement Manannân, en faisant une intrusion intempestive dans la salle d'audience.

– Que se passe-t-il encore? gronda le Dieu Bon.

– C'est ta femme, c'est Boann… On l'a vue se diriger vers la prairie du Síd de Nechtan, débita Manannân encore essoufflé par sa course à travers le palais.

– Par Hafgan, jura le Dieu Bon. Qu'est-ce qui lui a pris?

Voyant que Celtina le dévisageait avec l'air de n'y rien comprendre, il ajouta à son intention:

– Quiconque se rend à la Source secrète qui jaillit dans la prairie de Nechtan n'en revient pas sans que ses deux yeux n'éclatent. Seuls Nechtan et ses échansons peuvent s'en approcher sans risque.

– Boann doit savoir à quels dangers elle s'expose en se rendant dans cet endroit, s'étonna Celtina. Pourquoi prend-elle un tel risque?

– Parce que Boann est vaniteuse, grommela Dagda. Depuis que nous avons emménagé sous ce tumulus, elle n'a de cesse de répéter qu'il n'existe aucun pouvoir secret qui ne puisse atteindre la perfection du pouvoir de sa beauté.

– La Source sacrée de Nechtan contient toutes les connaissances du monde. Celui qui pourra les voir détiendra un pouvoir absolu sur tous les êtres et toutes les choses, confirma Manannân. C'est la raison pour laquelle ceux qui s'en approchent ont les yeux brûlés, car cette science doit demeurer cachée à tout jamais. Et même nous des Tribus de Dana n'y avons pas accès.

Mac Oc, Manannân, Dagda et Celtina se mirent aussitôt à la recherche de la déesse.

Mais leurs pires craintes se confirmèrent lorsqu'ils se heurtèrent aux trois échansons de Nechtan qui revenaient de la Source secrète où ils avaient été puiser de l'eau magique pour leur maître.

– Boann n'a pas tenu compte de nos avertissements, lança Lam, l'aîné des trois frères chargés de la protection de la source.

– N'allez pas plus loin, les avertit Luam, son frère cadet. Sinon de terribles maux vous attendent.

– Les Tribus de Dana ne peuvent perdre Mac Oc, Manannân et Dagda, gémit Flesc, le benjamin, en se mettant en travers du chemin des trois dieux qui tentaient encore de forcer le passage malgré les avertissements des échansons. Vous devez laisser Boann seule face à son destin.

En effet, Boann n'avait pas tenu compte des funestes présages et elle avait atteint la Source secrète.

Avec témérité, elle se pencha au-dessus de l'eau pour s'y mirer afin que le reflet de sa beauté en altère le miroir calme. Voyant que rien ne se passait et qu'elle n'était pas foudroyée, elle s'enhardit et fit trois fois le tour de la redoutable source par la gauche, de façon à conjurer le pouvoir de l'eau magique. Mais, à peine eut-elle achevé son troisième tour que trois vagues jaillirent hors de la source et vinrent se briser sur elle. La première lui enleva une jambe, la seconde lui coupa un bras et la troisième lui creva un œil, lui faisant payer très cher son orgueil démesuré.

Sa beauté à jamais détruite, Boann s'écroula en larmes devant la source. Elle resta de longs moments à se morfondre et à maudire son arrogance. Mais il était trop tard. Alors, la déesse ressentit une terrible honte à l'idée de reparaître dans le palais de Dagda ainsi défigurée.

Elle s'enfuit à la surface d'Ériu, en passant par la porte qui s'ouvrait sur le tertre du mont des Otages, et se dirigea vers la mer pour y noyer sa honte.

À sa suite, l'eau jaillit avec fracas de la Source secrète jusqu'à la surface de l'île Verte, créant une rivière au cours tumultueux dans le sillage de Boann qui courait vers l'océan. Ce fut ainsi que naquit la Boyne, une nouvelle rivière qui mouille désormais les abords de Tara et traverse la province sacrée et centrale d'Ériu.

Lorsque Mac Oc fut mis au courant de l'épreuve douloureuse subie par sa mère et de la disparition de celle-ci, il décréta que le palais qu'il avait acquis de Dagda s'appellerait désormais la Brug na Boyne, l'Auberge de la Boyne, en souvenir de Boann. Et il s'y retira.

Tout à sa douleur d'avoir perdu sa mère, le Fils jeune de Dagda ne comprit pas les terribles présages qui se cachaient ainsi derrière la disparition de la déesse, mais il en fut tout autrement pour Dagda.

– Il se passe des choses de plus en plus étranges, confia-t-il à Celtina, tandis qu'elle l'accompagnait vers sa nouvelle résidence de Clasaigh. C'est la première fois qu'une déesse perd la vie de cette façon, sans que ce soit le résultat des actions des Fomoré ou des Fir-Bolg. Des forces qui nous dépassent sont à l'œuvre contre les Tribus de Dana et obligent certains d'entre nous à commettre l'irréparable.

– As-tu une idée précise de l'origine de ces menaces? s'enquit la prêtresse.

– J'ai des doutes, mais rien de sûr pour le moment. Je te conseille de rester un peu avec nous dans le Síd, jusqu'à ce que j'aie une idée plus juste de ce qui se passe. Tu es l'Élue et je crains que ta vie soit en danger. Ici, nous pourrons mieux te protéger.

– Mais… ma mission? protesta mollement Celtina qui, devant l'inquiétude de Dagda, sentait la crainte monter en elle.

– Justement! s'exclama le Dieu Bon. Pour que tu réussisses, nous devons écarter les plus graves dangers de ta route. Malheureusement, pour le moment, je ne parviens pas à déterminer d'où ils proviennent. Reste ici jusqu'à ce que je juge que rien ne menace plus ta vie.

– Pourtant le temps presse! murmura Celtina, angoissée à l'idée de ne pas pouvoir mener sa mission à terme.

– Le temps presse à la surface de la Terre, tu as raison. Mais la précipitation n'est pas une bonne chose. Il vaut mieux perdre quelques jours pour faire le point que d'en perdre plusieurs en tombant dans des pièges qui auraient pu être évités avec un peu de réflexion. N'oublie pas que dans le Síd, le temps est suspendu. Je préfère que tu attendes ici que les choses se calment un peu entre les Gaulois et les Romains avant de te mettre de nouveau à errer en Celtie.

La jeune prêtresse opina de la tête. Malgré son impatience, elle savait que Dagda disait vrai et qu'il était inutile qu'elle discute, car il avait les moyens de l'obliger à rester là sans qu'elle puisse y faire quoi que ce soit.

– J'attendrai donc! lui lança-t-elle en se glissant dans les appartements qu'il lui avait fait préparer sous la colline de Clasaigh.

·Chapitre 7

Alors que tous ces événements étranges se déroulaient dans le Síd et que les combats se poursuivaient entre Romains et Gaulois, Arzhel n'avait pas renoncé à s'emparer d'un ou de plusieurs vers d'or. Malgré les conseils de Macha la noire, l'apprenti druide n'en continuait pas moins à n'en faire qu'à sa tête.

Le jeune homme suivait à distance Iorcos qui, insouciant, avait quitté Monroval, son havre de paix dans la forêt des Carnutes, pour se rendre à Avaricon sur la demande de Maponos. Petit Chevreuil était chargé d'un important message pour Abucatos, le chef du conseil des «Rois du Monde», c'est-à-dire des Bituriges.

Les Bituriges formaient l'une des trois plus importantes nations de la Gaule, avec les Éduens et les Arvernes. Mais Abucatos disposait d'un atout de plus sur les autres magistrats suprêmes : il jouissait d'un grand prestige et d'une importante autorité sur les autres rois et chefs de guerre.

Selon la coutume, c'était au centre géographique celte que se trouvait le pouvoir central. Et Avaricon passait pour être le cœur de l'empire. D'ailleurs, une pierre dressée dans la forêt de Mediolanon, dont le nom signifie «Centre du territoire», marquait l'emplacement de ce nombril du monde celte.

La richesse d'Avaricon et des autres oppida bituriges reposait sur l'élevage du mouton, le tissage de la laine, l'industrie du fer, la culture du blé et du chanvre. Cette prospérité n'était pas sans attiser de nombreuses convoitises, et c'était d'ailleurs ce qui avait valu aux Rois du Monde l'attention de César.

L'archidruide Maponos, conscient que la devise des gens d'Avaricon était «Aux Bituriges, le pouvoir suprême», avait envoyé Iorcos pour leur rappeler que si les Carnutes étaient dépositaires de la direction religieuse des Celtes, les Arvernes de la puissance guerrière, ils étaient, eux, ceux de la royauté sacrée.

Bien qu'officiellement allié à Rome, le vergobret d'Avaricon n'en était pas moins favorable à un soulèvement des Gaulois. Maponos tenait donc à lui rappeler qu'il était de son devoir de se joindre à la coalition qui bientôt bouterait les Romains hors des pays celtes.

Flânant en route, s'attardant dans les halliers* en quête d'un peu de gibier à plumes ou à poil pour agrémenter ses repas, Iorcos ne semblait pas s'inquiéter des mauvaises rencontres toujours possibles dans les forêts ou aux abords des étangs.

À un bon pas, il fallait compter trois nuits pour se rendre de Kenabon à Avaricon. Iorcos lui, en mit quatre, toujours suivi comme son ombre par Arzhel, qui malgré toutes ses tentatives pour s'emparer des pensées de Petit Chevreuil se heurtait inlassablement à un mur de protection mentale.

Enfin, les palissades de la célèbre forteresse biturige se dressèrent devant eux. Bâtie sur un promontoire, entourée de fossés larges et profonds, protégée de levées de terre et de bois, Avaricon était un oppidum imposant. De plus, la cité palustre* pouvait bénéficier de la protection des marais de l'Avara et des nombreuses rivières des alentours. Elle avait la réputation d'être imprenable.

Avaricon était connue pour être la ville aux sept rivières, principales garantes de sa richesse, car c'était surtout par voie fluviale qu'étaient livrées ou expédiées les marchandises.

Après avoir franchi les énormes portes de bois de la cité, Iorcos, ébahi, découvrit un oppidum comme il n'en avait jamais vu: des bâtiments en bois richement décorés et peints, bordés de grandes cours où se déroulait une activité incessante, liée surtout à la métallurgie. De nombreux forgerons, des charrons, des fondeurs de bronze, des fabricants de fers de lances, d'épées, de boucliers, cognaient et

suaient à qui mieux mieux. Plus loin, s'éten-
dait le quartier des potiers et des tailleurs de
pierres, puis celui des tisserands; la ville
bourdonnait. Autour du marché public, les
échanges allaient bon train. L'or et l'argent
s'échangeaient contre des saies de laine
colorées; des pleins paniers de légumes mûris
à point et de fruits gorgés de sucre changeaient
de main, des tonneaux de vin roulaient
jusqu'aux charrettes déjà lourdement chargées.
Des matrones aux poignets et au cou lourdement décorés de bracelets et de torques d'or
élevaient la voix pour commenter les dernières
nouvelles ou rappeler à l'ordre un enfant
turbulent. Même à Trôo, l'oppidum de sa
naissance, Iorcos n'avait jamais été le témoin
d'une telle frénésie. Ici tout se vendait, tout
s'achetait, même les produits exotiques venus
de Grèce, d'Italie ou de plus loin encore, des
pays des hommes noirs.

Il s'aperçut aussi que des routes pavées à la
mode romaine s'étendaient au-delà des fortifications dans plusieurs directions, notamment
vers les nécropoles funéraires et les exploita-
tions agricoles des alentours. Iorcos jugea que
la réputation de la forteresse était méritée:
c'était vraiment la plus belle ville des Gaules.

Entré à la suite d'Iorcos dans l'oppidum,
Arzhel ne s'émut pas de la splendeur de la
ville. Il avait d'autres préoccupations en tête.
Il ne lâchait pas le jeune apprenti druide

d'une semelle, cherchant même à deviner où ses pas le mèneraient. Ce fut ainsi que le Prince des Ours décida d'aller se poster devant la résidence d'Abucatos le vergobret, demeure qu'il avait pris la peine de se faire indiquer par un marchand de volailles de la place du marché.

Si Iorcos avait eu l'air d'un promeneur tout le long du chemin qui l'amenait vers la cité biturige, il n'avait pas eu l'imprudence de laisser son esprit ouvert à tous les vents et surtout à toutes les investigations, et Arzhel en avait été pour ses frais. Il lui avait été impossible de pénétrer les pensées de Petit Chevreuil et de connaître la nature du message dont il était le porteur. Son seul espoir était d'être présent ou, à tout le moins, de garder l'oreille collée à la porte lorsque Petit Chevreuil rencontrerait son interlocuteur qu'Arzhel soupçonnait être le vergobret. Il ne pouvait en être autrement.

Quelques instants plus tard, comme il l'avait prévu, Arzhel vit arriver Iorcos, toujours aussi nonchalant. Après avoir asséné un grand coup de poing sur la porte de la résidence du vergobret pour signifier sa présence, Iorcos en poussa la porte et entra sans attendre d'y être invité.

– Je cherche Abucatos, lança-t-il à la femme qui s'affairait autour de l'âtre, dans le milieu de la pièce.

– Ah, tu tombes mal, jeune druide, lui répondit l'épouse du chef, il est parti ce matin pour notre sanctuaire d'Argantomagos.

– Doit-il revenir bientôt?

– Qui peut le dire! laissa tomber la femme, avant de se détourner pour poursuivre ses activités culinaires.

– Dois-je l'attendre ou me rendre moi aussi à Argantomagos? l'interrogea encore Iorcos, qui avait trouvé la réponse pour le moins obscure et expéditive.

– Fais ce que tu veux! poursuivit la matrone, en marmonnant quelque chose entre ses dents à propos de Romains, de druides et de casse-pieds.

– Tu ne m'aides pas beaucoup, s'impatienta Iorcos. J'ai un message urgent à lui transmettre…

– Pourquoi devrais-je t'aider? répliqua la femme en appuyant ses mains farineuses sur ses hanches, dans un geste de défi. Vous, les druides, vous ne nous apportez que de mauvaises nouvelles depuis quelque temps. Vous incitez les braves à la révolte, sans vous préoccuper de la mort qui rôde au-dessus de nos oppida… Que l'Ankou vous emporte tous autant que vous êtes!

La réplique de la femme avait été si cinglante que Iorcos ne sut que dire. Il tourna les talons, heurtant Arzhel qui s'était approché pour mieux entendre. Plongé dans ses réflexions, Petit Chevreuil ne reconnut pas le Prince des Ours, et se dirigea vers la porte principale des fortifications d'un pas bien décidé. Cette fois, il n'allait pas flâner en route, il était déterminé à mettre la main sur ce «Chat de rivière» de malheur – puisque telle était la signification du nom biturige Abucatos –, à lui transmettre son message et à regagner Monroval au plus vite.

L'oppidum d'Argantomagos était situé à bonne distance d'Avaricon, et Iorcos se rendit vite compte qu'il lui faudrait bien deux ou trois jours de marche pour y parvenir. Ce constat le mit en rogne.

Décidément, le respect des druides se perdait dans le pays. Autrefois, la femme aurait envoyé un messager à son vergobret de mari et celui-ci n'aurait pas hésité à faire plusieurs leucas, quitte à en crever sa monture, pour venir s'entretenir avec un druide, mais depuis que ces satanés Romains changeaient les lois du pays, tout allait à vau-l'eau, même la plus élémentaire des politesses, songeait Iorcos en grognant des imprécations contre César et contre les malappris de toutes les nations.

Arzhel non plus n'était pas satisfait de constater que sa route devait se poursuivre. Se souvenant des propos de Macha la noire qui lui avait conseillé d'attendre sagement que Celtina lui livrât les secrets presque sur un plateau d'argent, il ralentit la cadence au point de perdre Iorcos de vue. Oui, mais voilà des jours et des nuits que Macha la noire ne s'était pas manifestée et Arzhel était aussi têtu qu'orgueilleux. Attendre n'était pas dans sa nature, il avait besoin de bouger, de passer à l'action. De plus, le secret d'Iorcos était à portée de main… Enfin oui, il l'était, car pris dans ses réflexions, le Prince des Ours n'avait pas vu que celui qu'il suivait s'était sans doute enfoncé dans les bois pour prendre un raccourci et qu'il avait perdu sa trace.

Maudissant sa distraction, Arzhel projeta son esprit par-dessus les hêtres et les ormes, dans le feuillage des chênes et des bouleaux, cherchant à reprendre contact avec Petit Chevreuil. Ce fut peine perdue. Mais puisque Arzhel connaissait la destination que l'apprenti druide comptait rejoindre, il décida de s'y rendre par son propre chemin. En se dépêchant, il pouvait même arriver avant Iorcos qui se laissait facilement distraire par le spectacle de la nature, comme Arzhel avait pu le constater entre Kenabon et Avaricon.

Après avoir passé la nuit à la belle étoile, Arzhel reprit sa route. Au même moment, à Ériu, la déesse Boann, défiant la geis qui interdisait aux Thuatha Dé Danann de s'approcher de la Source secrète, s'enfuyait de honte après avoir perdu plusieurs membres en guise de punition pour son arrogance. Dans sa fuite, une rivière était née sous ses pas... prodige dont Arzhel ne pouvait pas être au courant.

Le Prince des Ours était en train d'attraper des oiseaux à la glue pour son premier repas de la journée lorsqu'il aperçut des bulles qui clapotaient à la surface d'un amas de mousse. Comme la soif le tenaillait, il écarta délicatement l'humus dans l'espoir de trouver une source en dessous. Mais à peine avait-il amorcé ce geste qu'un étrange pressentiment le força à s'écarter de quelques pas.

Grand bien lui prit, car sans préavis, les bulles se changèrent en gros bouillons, qui donnèrent naissance à leur tour à un ruisseau indolent, qui devint rapidement un torrent, avant de se transformer une fois encore sous ses yeux écarquillés de crainte, mais aussi de ravissement, en une rivière au cours sinueux et au fort débit. Il n'avait jamais vu un cours d'eau naître à une vitesse si prodigieuse. Il regarda tout autour de lui, sur ses gardes. Assurément seuls les dieux pouvaient se manifester de manière aussi grandiloquente, mais il n'y avait aucun d'entre eux dans les parages.

Se penchant au-dessus du miroir de l'eau, il y vit des nénuphars jaunes et déjà tout un monde grouillant de poissons, de grenouilles, d'oiseaux et de rongeurs aquatiques, comme si tout ce microcosme s'était matérialisé en même temps que la rivière jaillissait du sol. Toutefois, ce qui étonna le plus Arzhel, ce fut de constater que malgré le soleil qui brillait ce matin-là, il ne distinguait pas son reflet dans l'eau. Il changea quatre ou cinq fois d'endroit et de position pour confirmer cette bizarrerie. Et effectivement, toujours pas la moindre trace de son reflet dans le miroir de l'eau.

– Entre le miroir de l'eau et l'œil se situe le miroir de l'âme, lâcha une voix frêle dans son dos.

Il se retourna lentement, étonné de s'être laissé surprendre par l'arrivée silencieuse d'une vieille femme qui le contemplait, un sourire énigmatique aux lèvres.

– Ton âme doit être bien sombre pour qu'elle cache ton reflet dans cette rivière, continua la nouvelle venue, en déposant les bras de la charrette qu'elle traînait, et qui contenait au moins un boisseau* d'épeautre.

Arzhel resta sans voix. La femme était trop énigmatique. Comment un être si délicat, si âgé, pouvait-il transporter une telle quantité de grains, sans compter le poids de la charrette, et ne pas paraître fatigué? Assurément, c'était soit une sorcière soit une déesse. Mais Arzhel avait une préférence pour Macha la noire: ça lui ressemblait bien de se dissimuler ainsi sous un accoutrement de pauvresse pour inspirer la pitié des villageois afin de mieux les flouer par la suite.

La vieille femme se pencha sur l'eau et s'en aspergea les yeux, à la grande stupéfaction d'Arzhel.

– Fais comme moi, lui conseilla la vieille. Une rivière qui surgit de manière aussi inattendue ne peut être dotée que de vertus bénéfiques, tu ne crois pas?

Et elle poursuivit son manège. Mû par une volonté qui n'était assurément pas la sienne, le Prince des Ours finit par l'imiter.

– Maintenant, regarde-toi de nouveau dans le miroir de l'eau de la Bouzanne! fit-elle.

Il lui obéit sans protester, comme si son esprit était entièrement contrôlé par cette femme. Et cette fois, il vit… Il vit son reflet, ses cheveux blonds, la nouvelle robe de druide qu'il s'était procurée à Kenabon, sa peau d'ours sur son dos.

– Les malades des yeux viendront désormais ici pour prier et soulager leurs maux, prophétisa la vieille, avant de reprendre sa charrette et de s'en aller en clopinant.

– Mais qui es-tu donc? cria finalement Arzhel, alors qu'il ne voyait déjà plus que le dos de la vieille qui s'éloignait en silence.

– Cessair, la déesse des Commencements! lâcha la voix frêle qui l'avait surpris plus tôt.

Cette révélation jeta littéralement Arzhel par terre. Il se laissa choir au bord de l'eau, les jambes flageolantes, le souffle court et le cœur battant la chamade. Cessair, la première femme, la déesse mère, celle qui était à l'origine de toute vie sur cette Terre. Personne ne l'avait jamais vue, même si tous, et notamment les druides, en connaissaient l'existence, ou la légende, selon les croyances de chacun.

Incapable de se remettre de cette rencontre fantastique, Arzhel passa la journée au bord de la rivière, comme dans un état second. Que signifiait l'apparition de la rivière? de Cessair? Pourquoi avait-elle parlé de son âme sombre? Et surtout pourquoi lui avait-elle conseillé de se laver les yeux? Ces questions l'occupèrent pendant de longues heures, tandis que Iorcos poursuivait sa route vers Argantomagos.

Chapitre 8

La porte de l'enceinte de l'oppidum d'Argantomagos était grande ouverte. Iorcos se figea, trouvant la chose anormale. Pendant de longues secondes, il resta l'oreille aux aguets, guettant le moindre bruit suspect. Rien, si ce n'étaient les grognements de quelques cochons, les cancans des canards et les caquètements des poules. Bref, rien que la vie habituelle de la basse-cour.

Et pourtant, cette porte grande ouverte l'inquiétait. Où étaient les guetteurs? Qu'était-il arrivé aux habitants? Il ne voyait ni forgeron ni paysan, aucun artisan ni commerçant. Il passa la lourde porte de bois et grimpa la colline en direction du village lui-même, construit sur un plateau calcaire, et qui semblait endormi derrière sa palissade. Il ne vit ni incendie ni destruction. C'était déjà une bonne nouvelle. L'oppidum n'avait pas été attaqué.

Mais où sont-ils tous passés? se demanda Iorcos, en se promenant entre les cabanes de bois et de pierre. Rien ne semblait avoir été dérangé et il constata que les activités avaient sans doute cessé récemment, car des braises rougeoyaient encore dans la forge. Dans une maison, il découvrit de la nourriture mise à mijoter à feu doux sur le foyer au milieu de la pièce principale.

Un bruit en provenance de l'extérieur le fit sursauter. Il sortit de la maison et chercha dans toutes les directions. Sur la gauche, il aperçut un homme qui sortait précipitamment d'une cabane, les bras chargés de boucliers, de pots de bronze et de torques d'or. La silhouette jeta sa brassée d'objets dans une petite charrette. Aussitôt, Petit Chevreuil découvrit deux autres hommes qui se livraient à la même activité, en sortant de deux autres chaumières.

Des voleurs! se dit Iorcos. *Et des Gaulois en plus!*

Il rageait de constater que les Celtes n'avaient plus aucun respect pour ceux de leur propre peuple. Que des Romains se comportent comme des brigands, ce n'était guère étonnant, mais que des Gaulois les imitent, voilà qui le mettait en furie.

Sans réfléchir, il cria son indignation en direction des trois individus louches qui s'empressaient de charger leur carriole. Les pillards tournèrent leurs regards dans sa direction. Iorcos jugea qu'ils étaient trop éloignés pour lui causer le moindre problème, il ne se sentait pas menacé, même si les trois individus n'avaient pas l'air commode avec leurs braies et leurs tuniques sales, leurs cheveux hirsutes et leur imposante stature.

Les avoir pris sur le fait sera sans doute suffisant pour qu'ils filent, se dit-il en se montrant un peu plus, de façon à ce que les trois filous identifient bien sa robe de druide.

Il constata avec stupeur que sa fonction sacerdotale ne leur faisait ni chaud ni froid. Les voleurs lui jetèrent un rapide coup d'œil, puis s'engouffrèrent dans une autre maison en ricanant. Ulcéré par ce manque de considération et de respect, Iorcos osa s'avancer un peu plus. Il vint prendre les rênes du cheval attelé à la carriole, espérant ainsi bloquer toute possibilité aux pillards de prendre du champ et d'emporter leur butin. Il comptait sur son statut de druide pour les convaincre par sa parole, et si ça ne suffisait pas, pour les forcer à reculer et à abandonner la partie, en mettant en œuvre un peu de magie.

Brusquement, Petit Chevreuil sentit quelqu'un passer derrière lui. Il n'eut pas le temps de se retourner. Un gourdin s'abattit par-derrière sur son oreille droite. Puis il ressentit une douleur intolérable et finalement, ce fut le noir. L'apprenti druide s'écroula comme une feuille morte sur le sol de terre battue. Un quatrième malandrin riait en le ligotant solidement et en le bâillonnant. Iorcos, évanoui, fut ensuite projeté sans ménagement dans la carriole avec les objets volés.

Les quatre voleurs poursuivirent leur pillage pendant plusieurs minutes, avant de sortir de l'oppidum. Au passage, ils véri-fièrent que les guetteurs qu'ils avaient assommés en s'introduisant dans le village étaient toujours bien ligotés et évanouis derrière le monticule de pierres calcaires où se fournissait le sculpteur du village

Tascos le Blaireau, celui qui avait assommé Iorcos, avait pris les commandes de la carriole et la dirigea vers la forêt en bordure de l'oppidum.

– Mais où vas-tu? l'interpella l'un de ses compagnons, en constatant qu'ils ne prenaient pas la route qui devait les éloigner du lieu du crime.

– J'ai une idée! lança le chef de bande. On s'en va récupérer mon frère.

– Le ciel t'est tombé sur la tête! s'indigna un deuxième pillard. Tu nous conduis dans la gueule du loup!

– Ne vous inquiétez pas, j'ai un plan!

La charrette s'enfonça dans les bois par un chemin à peine visible entre les futaies.

Après une dizaine de minutes sur le sentier cahoteux, les voleurs perçurent des chants et des incantations.

– Nous y voilà! fit Tascos, en faisant arrêter son cheval. Descendons et laissons notre butin ici.

– Mais… je ne comprends pas! protesta un autre voleur.

– Toi, tu restes ici et tu surveilles la carriole. Les deux autres avec moi, poursuivit le chef, sans s'occuper des protestations de ses acolytes.

– Et lui? demanda un voleur, en désignant Iorcos.

– On l'emmène.

Se saisissant de leur prisonnier comme d'un paquet, c'est-à-dire par les bras et les jambes, ils s'avancèrent silencieusement vers l'endroit d'où leur parvenait une voix rude, à l'intonation grave et solennelle. Ils restèrent tapis à l'orée de la clairière, à écouter les paroles brèves, aux accents énigmatiques d'une personne qui parlait par sous-entendus et métaphores*. Aneunos l'Inspiré, druide d'Argantomagos, présidait une cérémonie druidique d'invocation des dieux en présence d'Abucatos, vergobret des Bituriges. L'heure était grave.

Les villageois s'étaient assemblés sous les frondaisons* des vieux chênes, loin des yeux romains, pour faire appel aux Thuatha Dé Danann. Les Bituriges n'en pouvaient plus de supporter le joug* romain qui les obligeait à ravitailler l'armée de César et à lui livrer leurs meilleures bêtes, leurs plus beaux blés, leurs produits les mieux manufacturés et surtout leur or. Ils s'étaient réunis pour implorer les

Tribus de Dana de les secourir et vouer les troupes romaines au royaume du Mal et de la Mort des Fomoré.

Le principal magistrat des «Rois du Monde» était donc venu dans ce village sacré pour présider à une cérémonie de sacrifices sanglants, eux qui étaient désormais interdits par les Romains.

Les Celtes avaient en effet trois modes sacrificiels: le sanglant, avec la mise à mort d'une victime humaine ou animale par l'immolation ou la crémation, le non-sanglant par la pendaison, l'immersion ou l'inhumation, et l'oblation, c'est-à-dire l'offrande de lait, d'eau sacrée, de plantes ou de boisson fermentée.

Le rite du sacrifice était toujours mis en pratique par un druide confirmé, car l'homme sacrifié devenait ainsi une victime de prêtre, donc exceptionnelle. Le sacrifice, qu'il soit sanglant ou non, était un acte indispensable de l'activité religieuse des druides, même si tous ne le pratiquaient pas, car il devait être réalisé selon un rituel précis que seuls les plus expérimentés avaient le droit et les capacités de mettre en œuvre.

Pour leur part, les sacrifiés étaient souvent des ennemis qui prenaient ainsi sur leurs épaules les impuretés et les souillures de la société. Si le clan n'avait pas de prisonnier à immoler, il pouvait recourir à une victime choisie au sein de la tribu, et notamment parmi les meurtriers. Ainsi, on offrait aux dieux une vie en échange d'une vie. Le prix du sang. Mais la victime pouvait également être consentante, car, de ce fait, elle devenait un être à part à qui l'on offrait une destinée remarquable, puisque l'immortalité de l'âme et la poursuite de la vie dans la Terre des Promesses faisaient partie des croyances celtiques.

Les trois voleurs s'approchèrent un peu plus du lieu du rassemblement. Ils virent alors distinctement un gros rocher creusé en forme de cuvette et Aneunos l'Inspiré qui levait son coutelas.

L'un des voleurs fit un mouvement vers l'avant pour se précipiter vers la scène, mais Tascos le Blaireau le retint.

– Pas encore!

D'un geste vif et précis, le druide trancha la carotide de sa victime, un gros mouton bêlant de terreur. Il laissa retomber l'animal dans la cuvette de pierre et le sang qui s'en échappait dégoulina du rocher. L'Inspiré se pencha au-dessus des coulures pour en interpréter le sens caché, tout en remuant les entrailles de la pointe d'un bâton tordu. Il psalmodiait aussi des mots incompréhensibles pour la plupart des gens autour de lui, car ses phrases étaient secrets de druide.

Disposés en demi-cercle autour de la cuvette où le mouton rendait son dernier souffle, les habitants réunis poursuivaient leurs chants et leurs invocations dans une mélopée envoûtante aux intonations traînantes et répétitives.

Comme si la litanie avait percé les brumes de son évanouissement, Iorcos se mit soudain à gémir. Tascos le Blaireau vérifia son bâillon. Petit Chevreuil ouvrit les yeux, se demandant ce qui lui arrivait et où il était.

Puis, petit à petit, le souvenir des événements qui avaient précédé le coup de gourdin lui revint. Il tenta de se lever, mais chuta lourdement. Il constata qu'il était bien ligoté. De sa bouche entravée montèrent de légers borborygmes étouffés.

– Reste tranquille, toi! lui intima le chef de bande en lui décochant un coup de pied dans les côtes.

Involontairement, Iorcos laissa échapper une plainte, ce qui lui valut un second coup.

– C'est quoi, ton plan? demanda un voleur à Tascos.

– Tu vas voir. Restez ici, vous deux. Allez, toi, debout! lança-t-il ensuite à Iorcos en saisissant les liens à ses poignets.

Il détacha les cordes qui entravaient les jambes de Petit Chevreuil et le poussa devant lui d'une rude bourrade entre les omoplates.

Ils sortirent de leur cachette. Leur arrivée intempestive dans la clairière fit taire brusquement les chants et les incantations. Même Aneunos en resta muet de stupeur.

– Qu'est-ce que ça veut dire? gronda finalement le Chat de rivière, revenu le premier de sa surprise.

– Je te ramène un prisonnier, druide! lança le chef des filous à l'intention d'Aneunos, sans s'inquiéter le moins du monde de répondre au vergobret. J'étais resté en arrière avec vos gardes pour surveiller le village pendant votre absence et je suis tombé sur ce voleur.

En entendant ces mots, Iorcos se débattit et tenta de faire entendre sa voix. Mais toujours bâillonné, il fut incapable de laisser filtrer autre chose que des gargouillis sans signification.

– C'est le chef d'une bande de quatre malandrins. Je n'ai réussi qu'à capturer celui-ci, mais je crois que c'est une bonne prise, continua le Blaireau. Ils étaient en train de piller votre village après avoir assommé vos guetteurs. Malheureusement, les autres ont fui avec le butin. Mais au moins, j'ai pris celui-ci.

D'un geste ample, Tascos projeta Iorcos aux pieds d'Aneunos l'Inspiré.

– Il fera une bonne victime pour les dieux, reprit le Blaireau.

Petit Chevreuil se tortilla sur le sol, essayant de se défaire de ses liens. Peine perdue.

– Qui es-tu? demanda Abucatos, suspicieux, à cet homme dont l'air et l'allure ne lui revenaient pas. Je ne t'ai jamais vu à Argantomagos.

– Je suis le frère de Karmanos la Belette, fit Tascos en désignant un homme ligoté lui aussi et qui gisait face contre le sol dans la poussière de la clairière.

– Le Blaireau et la Belette, eh bien, vous faites une belle paire d'animaux sauvages, se moqua le vergobret. Que veux-tu ?

– Je viens pour échanger la vie de mon frère contre celle de ce voleur. L'âme de cet homme est plus souillée que celle de Karmanos qui, en tant que serviteur, a simplement désobéi à son maître. Ce sera un plus grand honneur fait aux dieux.

En effet, par ses vertus purificatrices, le sacrifice d'une victime « souillée » par un acte répréhensible avait une plus grande valeur que celui d'un individu au comportement moins fautif. Le sacrifice offrait ainsi à la victime le privilège d'atteindre le degré suprême de la spiritualité celtique.

Pendant les discussions, Iorcos continuait à se débattre et à tenter de faire entendre sa voix, sans succès. La peur avait gagné son corps et il tremblait de tous ses membres. Ce fut encore pire, lorsque, en roulant sur lui-même, sous l'effet de son agitation, il arriva au bord d'une fosse remplie de vaisselles, de coutelas, de quartiers de mouton sanglants et de bois de cerf. Il comprit qu'Aneunos sacrifiait sous les auspices de Cernunos, le Cornu. Il vit aussi trois hachettes votives* taillées dans du bois, symboles du sacrifice. La tombe avait été creusée pour accueillir le martyr offert aux dieux.

Il saisit parfaitement le triste sort qui l'attendait. Si Aneunos l'acceptait comme victime, il serait frappé au-dessus du diaphragme* avec une épée de combat, ce qui aurait pour effet de bloquer sa respiration et de l'empêcher de se défendre. Puis le druide interpréterait ses convulsions, le roulement de ses yeux, ses grimaces de douleur et finalement l'écoulement de son sang de mourant afin de déterminer si les dieux étaient satisfaits ou non de cette offrande.

Aneunos examina Iorcos, puis Karmanos, et finalement, il fixa son regard sur Tascos. D'un signe de tête, il signifia qu'il acceptait que le Blaireau défasse les liens de la Belette.

Des murmures montèrent aussitôt des gorges des villageois. Qu'on vienne ainsi soustraire une victime à son immolation n'était pas un acte habituel. Certains se demandaient si cet échange ne viendrait pas contrarier les dieux au lieu de les amadouer. D'autres suggérèrent que le druide offre les deux victimes au jugement du glaive, de façon à prémunir doublement leur tribu contre les méfaits des Romains. Mais seul le druide avait le pouvoir de décider; même

Abucatos, le vergobret des Bituriges, n'avait pas le pouvoir d'intervenir. L'Inspiré avait accepté de libérer la Belette et il ne reviendrait pas sur sa parole.

Heureusement pour Iorcos, tout n'était pas encore perdu. Derrière un vieux chêne, un observateur attentif avait assisté à toute la scène et s'apprêtait à entrer en jeu.

Je ne peux pas laisser Iorcos être mis à mort, songeait Arzhel en observant ce qui se passait dans la clairière. Il détient un vers d'or. Je ne peux pas permettre qu'il soit perdu. Mais que puis-je faire tout seul contre tout un village?

Arzhel était tombé presque par hasard sur le lieu de réunion. En effet, après avoir parcouru la campagne à la recherche de Iorcos, il avait fini par aboutir lui aussi dans le village déserté. En découvrant des poteries brisées, le désordre qui régnait dans plusieurs maisons, les coffres ouverts, quelques bijoux tombés çà et là, et surtout les gardes qui revenaient à eux, il avait compris que le village avait été la proie des pillards.

L'un des guetteurs, à peine remis de sa mésaventure, lui avait vaguement indiqué le chemin à prendre pour aller prévenir les villageois de ce qui s'était passé en leur absence. Se perdant à quelques reprises, Arzhel avait fait de nombreux détours avant que les chants et les incantations lui servent de guide vers le lieu sacré. Il était arrivé au moment où Iorcos était projeté aux pieds de l'Inspiré et savait pertinemment que la vie de Petit Chevreuil ne tenait plus qu'à un fil.

Pour ne pas être découvert, Arzhel avait dû dresser une barrière mentale entre lui et le druide Aneunos. Mais il songea que c'était une arme à double tranchant, car cela ne lui permettait pas non plus de tenter d'établir un contact avec Macha la noire. L'aide de la Dame blanche lui aurait été bien utile dans les circonstances. Mais il ne pouvait trahir sa présence et devait agir au plus vite. Il devrait donc se débrouiller par ses propres moyens pour libérer Petit Chevreuil avant que les choses ne tournent mal.

Chapitre 9

Arzhel respira profondément et se concentra sur une image mentale de son totem. L'opération était particulièrement difficile, car en même temps, il devait maintenir la barrière de protection qui isolait ses pensées d'une possible investigation d'Aneunos. Jusqu'à ce jour, l'apprenti druide avait toujours mis en pratique sa science de la métamorphose dans des conditions optimales, pour s'y exercer simplement ou pour échapper à un animal. Il se rappelait fort bien que lorsqu'il s'était frotté à Sucellos, alors qu'il avait plongé Celtina dans un sommeil hypnotique*, il avait dû prendre ses pattes à son cou. Il espérait que rien ne viendrait se mettre en travers de sa volonté et surtout qu'Aneunos ne percevrait pas ses intentions.

La crainte d'échouer à maintenir ses deux buts à la fois lui fit toutefois perdre un temps précieux pour la vie d'Iorcos. Déjà le druide avait saisi l'apprenti et lui posait le coutelas sur la gorge, en marmonnant les mots destinés à contacter les Tribus de Dana. Aussi Arzhel s'obligea-t-il à chasser toute pensée négative de son esprit, car elles ne faisaient que le handicaper alors qu'il avait besoin d'être en pleine possession de ses moyens.

Finalement après deux tentatives qui avaient drainé toute son énergie, l'ours qu'il était enfin devenu se dressa sur ses pattes arrière et bondit dans la clairière avec un grognement impressionnant. Il lui était cependant impossible de menacer directement le druide, car il était épuisé par ses essais de transformation ratés.

Le but recherché fut néanmoins atteint. La panique s'empara de la foule qui se dispersa en hurlant. Le druide et le vergobret, conscients de leurs responsabilités, firent en sorte que les enfants ne perdent pas leurs parents dans leur fuite éperdue vers le village. Ils restèrent en arrière pour s'assurer que pas un seul habitant ne serait menacé par l'ours, avant de lui faire face, le druide en levant son coutelas et le vergobret en brandissant son épée.

Le sauve-qui-peut n'avait finalement laissé autour du druide que Iorcos et le vergobret.

Heureusement pour sa peau, en se précipitant au milieu de la foule, Arzhel avait enlevé sa barrière mentale de protection. En tant que druides, Aneunos et Iorcos purent ainsi déceler sa véritable nature. Quant au vergobret, il ne pouvait fuir si le druide ne le faisait pas. Il était donc resté, résolu à mourir sous les griffes de l'animal s'il le fallait.

– Qui es-tu ? Que veux-tu ? l'interpella Aneunos, en se méfiant toutefois de cet ours qui ne semblait pas en être véritablement un.

Avant de répondre, Arzhel prit le temps de retrouver son apparence humaine, puisque son but n'était nullement de s'en prendre à l'Inspiré et au Chat de rivière.

– Je veux simplement que tu délivres ton prisonnier, répondit Arzhel, dont la peau d'ours se rabattit sur son dos pour dévoiler son visage et son corps humains. Ce jeune homme est un apprenti druide, tu allais commettre une belle folie en le sacrifiant. En toute conscience, je ne pouvais te laisser faire.

Aneunos se tourna vers Iorcos et sonda les pensées du prisonnier. Il y découvrit effectivement des connaissances qui ne pouvaient être que celles d'un druide. Il se mordit les lèvres. Il avait bien failli commettre l'irréparable et attirer la colère des dieux sur son village. Pour ne pas perdre la face, il répliqua :

– Je suis un druide d'expérience et je n'aurais pas procédé au sacrifice sanglant sans interroger l'esprit de ce garçon. Il n'y avait donc aucun danger pour lui.

Arzhel esquissa un sourire. Il n'était pas venu pour se mesurer à un druide. Il retint donc les paroles acerbes qu'il avait sur le bout de la langue. Il détacha son coutelas de sa ceinture et trancha les liens de Petit Chevreuil. Étonné, ce dernier essayait de percer les véritables buts du Prince des Ours, mais il n'y perçut que le désir sincère de le libérer. Il soupira de soulagement. En cet instant, son ennemi ne lui voulait aucun mal.

En massant ses poignets endoloris, Iorcos fit un signe de tête à son sauveur, puis se tourna vers le druide et le vergobret pour leur dire:

– Je ne suis pas un voleur. Le Blaireau est le véritable chef des pillards et il s'est enfui maintenant. Sa bande a volé vos biens les plus précieux en votre absence.

Aneunos et Abucatos amorcèrent aussitôt un mouvement pour se précipiter vers l'oppidum, mais Iorcos les retint.

– C'est trop tard. Ils sont loin maintenant. Écoutez-moi, car je suis venu vers vous pour vous délivrer un message de la plus extrême importance. Je suis un envoyé de l'archidruide Maponos et du très grand chef des guerriers, Vercingétorix.

– Vercingétorix! s'étonna Abucatos. Vas-y, parle! Que nous veut cet Arverne?

– Il veut savoir si les Bituriges sont avec lui ou contre lui. Bientôt, l'heure de la révolte va sonner. Il te demande de te joindre à la coalition qu'il est en train de monter en secret.

– Nous sommes favorables à un soulèvement contre Rome, mais nous sommes aussi ses alliés, réfléchit Abucatos à voix haute. Nous sommes pris entre l'arbre et l'écorce, si tu veux mon avis.

– Les Bituriges sont les dépositaires de la royauté sacrée, insista Iorcos, car, pressentant les réticences du chef du conseil des Rois du Monde, Maponos lui avait demandé de lui rappeler ce fait. Sans les Bituriges, beaucoup de tribus refuseront de faire partie de la coalition. Tu ne peux pas nous laisser tomber !

Abucatos réfléchit encore, cette fois en silence, puis il se tourna vers l'Inspiré pour obtenir son conseil.

– Nous devons en discuter, répondit Aneunos, qui cherchait avant tout à ne pas s'engager aussi rapidement dans un camp comme dans l'autre. Ce n'est pas une décision que nous devons prendre à la légère. Peu importe ce que nous ferons, cela aura d'importantes répercussions pour notre peuple.

– Retourne auprès de Maponos et de Vercingétorix, conclut Abucatos pour résumer la pensée de son druide. Dis-leur que nous allons en débattre en grand conseil, avec les nobles et les guerriers bituriges. Assure-les que nous leur ferons parvenir notre décision, quelle qu'elle soit, dans de très brefs délais.

Iorcos soupira de dépit. Il avait cru pouvoir ramener une meilleure nouvelle à Monroval. Cette réponse en demi-teinte ne satisferait ni Maponos ni Vercingétorix, et pourtant, ils devraient bien s'en contenter pour le moment. *Au moins les Bituriges n'ont pas refusé*, pensa-t-il.

– J'espère que vous ne tarderez pas à nous faire porter votre avis, jeta Iorcos d'un ton où perçait le dédain qu'il ressentait pour ces Bituriges indécis. Puis il se tourna vers Arzhel. Viens, Prince des Ours, nous n'avons plus rien à faire ici.

Petit Chevreuil quitta la clairière d'un pas décidé, mais le cœur battant. Il se demandait si Arzhel allait lui emboîter le pas ou disparaître dans les profondeurs de la forêt. Puis un sourire éclaira son visage. Il n'eut pas besoin de se retourner pour sentir le jeune druide derrière lui. Lorsqu'ils se furent suffisamment éloignés de la clairière, il s'arrêta et fit face à son ami du jour, son ennemi d'hier.

– Je ne t'ai pas remercié comme il le fallait pour ton intervention, lui dit-il en lui serrant le bras à la mode gauloise. Je te dois la vie, j'ai une dette envers toi.

Les profonds yeux bleus d'Arzhel brillaient d'une lumière nouvelle, celle que donne le sentiment de la victoire.

– Il existe un moyen facile pour toi de t'acquitter de ta dette, susurra l'apprenti druide. Révèle-moi le vers d'or que Maève t'a confié.

Aussitôt, les sourcils de Iorcos se froncèrent et son esprit se ferma. Toute trace de sentiment amical fut balayée de son visage.

– Non. Je n'en ferai rien ! grommela-t-il. Le prix d'une vie est la vie, pas le dévoilement d'un secret. Je donnerai ma vie pour protéger la tienne… mais je ne te donnerai pas la phrase des druides.

– Pourquoi es-tu si têtu? se révolta Arzhel. Tu n'es pas l'Élu, tu le sais aussi bien que moi. Tu ne cherches d'ailleurs pas à récupérer les autres vers d'or puisque tu restes à Monroval. C'est moi qui ai été choisi pour restaurer la Terre des Promesses… Fais-moi confiance! Il ne peut en être autrement.

– Toi… ou Celtina? se moqua Iorcos. Pour l'instant, ni l'un ni l'autre vous ne m'avez convaincu d'être l'Élu. Je ne donnerai pas mon vers d'or à des fauteurs de trouble. Rien ne prouve que ce n'est pas un autre apprenti qui a été choisi. Tiens, par exemple, Abancos le Castor…

– Tu sais que je pourrais utiliser la force pour t'obliger à me le révéler, le menaça Arzhel.

– C'est bien ce que je disais! répliqua Iorcos. Le véritable Élu aura sans aucun doute des qualités d'âme indiscutables et des pouvoirs de persuasion qui ne reposeront pas sur l'emploi de la violence. Ce qui n'est apparemment pas ton cas.

Arzhel sentit monter en lui des pulsions de meurtre, mais il parvint à les maîtriser. Les paroles d'Iorcos avaient atteint une corde sensible chez lui. Percevant toute la cruauté qui l'habitait, il s'interrogea sur les origines de ses accès de méchanceté. Avant de quitter

Mona, il n'avait jamais ressenti de tels penchants. Que lui était-il arrivé? Était-ce à cause de sa fréquentation de Macha la noire? C'était bien possible. Quelles étaient déjà les paroles de la déesse des Commencements? Elle avait parlé de son âme sombre, elle lui avait conseillé de se laver les yeux…

Percevant que son nouvel ami se débattait avec certaines interrogations concernant sa personnalité, Iorcos eut une inspiration.

– Viens avec moi. Allons à Monroval. Maponos peut t'aider à chasser ce côté sombre et violent qui t'habite. Peut-être pourras-tu devenir vraiment l'Élu si tu parviens à te débarrasser de tes mauvais penchants. L'archidruide t'aidera à révéler ta vraie nature…

– Tu ne crois pas que Celtina soit l'Élue? s'étonna Arzhel.

– Sincèrement non. Elle est trop jeune. Je crois que seul un druide qui aura expérimenté le côté noir de son caractère et qui l'aura combattu avec succès pourra accéder à Avalon. Celtina est une prêtresse, elle est douée, mais elle est trop douce.

Arzhel pouffa. *Trop douce. On voit que Iorcos ne la connaît pas vraiment. La petite fille de Mona s'est métamorphosée en une adolescente qui poursuit sa route sans faillir. Et moi, j'ai vu de quoi elle est capable. Les dieux veillent sur elle et elle sait très bien se servir de son épée et de ses pouvoirs lorsqu'elle en a besoin.*

– D'accord. J'irai à Monroval avec toi. Maponos sera sûrement de bon conseil et il m'aidera, approuva Arzhel à voix haute.

À part lui, il songeait qu'il pourrait sûrement tirer de nombreux avantages de la poursuite de sa formation auprès de l'archi-druide. Sans compter qu'il serait aussi bien placé pour apprendre une multitude de choses avec Vercingétorix. Des secrets qui, éventuellement, pourraient le servir.

Les deux apprentis druides reprirent donc la route de Monroval en discutant comme deux bons amis.

Chapitre 10

Pendant ce temps, à Ériu, après le départ de Dagda et de ses gens de sa somptueuse résidence de la Brug, Mac Oc s'installa confortablement dans les lieux. Roc, l'ancien intendant de Dagda, avait choisi de se mettre au service du nouveau maître des lieux et de lui être fidèle et tout dévoué. Il n'avait pas suivi le Dieu Bon sous la colline sacrée de Clasaigh, car sa femme avait récemment donné naissance à une petite fille qu'il avait choisi d'appeler Eithné, en l'honneur de la mère de Lug.

Or, une nuit, tandis qu'il dormait profondément, Mac Oc fut la proie d'une vision étrange. Une jeune femme d'une beauté sans pareille se penchait sur son front pour y déposer un baiser léger comme le vent.

Dans son rêve, Mac Oc tendit la main pour s'emparer du bras de la plus belle fille qui ait jamais vécu à Ériu. Toutefois, telle une bulle, l'apparition s'évapora dans l'obscurité, ne laissant dans son sillage qu'un vague parfum de fleurs de pommier et une fine bruine qui ne tarda pas à se dissiper elle aussi, ne déposant qu'un peu de rosée sur le sol.

Mac Oc se réveilla encore rempli de sa vision étrange et il sentit son cœur serré comme dans un étau. Il bouscula Roc qui dormait devant la porte de sa chambre.

– As-tu vu sortir la fille la plus belle que j'aie jamais vue ? lui demanda-t-il, tandis que l'intendant, encore tout ensommeillé, avait bien du mal à recouvrer ses esprits.

– Je n'ai vu personne d'autre que toi, grommela Roc, mécontent d'avoir été tiré aussi abruptement de ses songes.

– Ah ! J'ai dû rêver !

Mac Oc se recoucha, mais chercha le sommeil en vain. La gracieuse silhouette enveloppée de voiles et de lumière qui s'était penchée sur lui ne cessait de le hanter. Il lui semblait sentir sur ses joues la soie des longs cheveux blonds qui l'avaient caressé. Il fut incapable de fermer l'œil le reste de la nuit.

Au petit matin, Roc le trouva pâle et mélancolique, les yeux au bord des larmes, sans force et sans entrain. Le Jeune Soleil ne mangea rien de toute la journée. Il refusa même de quitter son lit. Roc songea que le Fils jeune était très affecté par la disparition de Boann et mit son état sur le compte de la tristesse bien légitime d'un fils qui a perdu sa mère.

La nuit suivante, l'épuisement vint à bout de Mac Oc et malgré tous ses efforts pour garder l'esprit clair, il finit par sombrer dans le sommeil. À peine avait-il fermé les yeux que, dans son songe, il distingua plus nettement les courbes du corps de lumière, les longs cheveux blonds ondulant comme des vagues jusqu'au bas des reins de l'apparition qui lui souriait. La jeune fille tenait une cymbale de bronze dont elle joua pour lui. Mais elle ne prononça pas une seule parole. Il désespérait d'entendre sa voix. Lorsqu'il tendit la main pour la toucher, elle disparut une fois encore, tandis que l'odeur de fleurs de pommier demeurait un instant à flotter autour de lui.

Mac Oc passa le reste de la nuit éveillé à tenter de percer le silence de la Brug na Boyne, à sursauter au moindre bruit, fruit de son imagination. Il en avait le cœur si chaviré qu'il refusa toute nourriture une fois le jour venu.

Pendant plusieurs nuits, le même manège se répéta. Alors qu'il était à la lisière du sommeil, la jeune fille apparaissait, jouait de la musique, caressait son front, mais s'il ouvrait un œil ou osait lui parler, elle disparaissait sans que personne ne puisse dire d'où elle venait ni où elle allait. Et plus la jeune fille le visitait, plus Mac Oc dépérissait.

Cette maladie étrange dont personne ne pouvait deviner l'origine finit par inquiéter tout son entourage, car le Jeune Soleil refusait de confier ce qui le bouleversait à qui que ce soit. Il attendait la nuit avec impatience, simplement pour apercevoir cette apparition fantomatique qui le chavirait un peu plus chaque fois.

Inquiet pour la santé physique autant que mentale de son nouveau maître, Roc fit prévenir Diancecht. Mais après avoir minutieusement examiné et interrogé Mac Oc, le dieu-médecin ne trouva ni l'origine du mal ni la façon d'en atténuer les symptômes. Pour obtenir un deuxième avis, on fit appel à Airmed et Octriuil, les enfants de Diancecht, dont la science était parvenue à guérir le bras de Nuada*, mais ce fut peine perdue. La vie du Fils jeune ne tenait plus qu'à un fil, il se mourait de langueur.

— Il faut faire appel à Fintan, décréta Diancecht. Lui seul pourra nous dire ce qui se passe.

En effet, le vieux sage avait la réputation de pouvoir deviner de quels maux les dieux étaient atteints simplement en regardant leur visage. Il se rendit donc dans la résidence de la Brug pour examiner Mac Oc. Il resta de nombreuses heures auprès de son patient, mais par Hafgan, il fut incapable de dire de quoi souffrait le fils de Dagda.

— Laissez-nous seuls, ordonna finalement Mac Oc, en chassant ses médecins et ses serviteurs.

Puis le jeune dieu raconta à Fintan ce qui se passait la nuit quand la jeune inconnue venait le visiter.

– Hum! Tu es très malheureux, diagnostiqua finalement Fintan, car tu es amoureux…

– C'est bien là mon problème, j'aime une femme qui ne semble pas exister ou alors qui me fuit.

– Tu es dans un état lamentable, le réprimanda gentiment le vieux sage, tout cela parce que ton cœur souffre mille tourments et que tu n'as pas osé confier ton secret à tes amis.

– Comment avouer que j'aime une jeune fille qui n'existe que dans mes rêves, soupira Mac Oc. On va me traiter de fou. Elle est d'une rare beauté, d'une douceur angélique… Comment faire pour me guérir?

– Ce n'est pas difficile, répondit Fintan. Si cette fille vient vers toi, c'est qu'elle t'aime aussi. Il faut donc la faire chercher partout dans le Síd, mais aussi sur la terre d'Ériu.

– Tu as raison, mon ami. Je ne sais pas si elle est fille des Tribus de Dana ou fille des Gaëls, mais je la retrouverai. Roc! hurla-t-il à pleins poumons pour appeler son intendant.

Le chef de ses serviteurs se précipita dans la chambre croyant que son maître était au plus mal, mais il le trouva hors du lit, ragaillardi, en train de boire le lait que Fintan avait fait apporter pour lui.

– Roc, déclara Mac Oc. Je vais te confier une mission de la plus haute importance.

Et il lui raconta ce qui lui arrivait la nuit, quand le sommeil commençait à l'envahir.

– Tu dois retrouver cette jeune fille, car je ne pourrai vivre sans elle.

Aussitôt Roc donna l'ordre à tous les guerriers et domestiques au service du Jeune Soleil de chercher à retrouver cette beauté qui avait pris le cœur du maître du temps et de la jeunesse et qui était la cause de sa maladie.

Quelques jours passèrent, mais au fur et à mesure que les guerriers et les serviteurs revenaient à la Brug na Boyne, les espoirs de Mac Oc s'amoindrissaient. Les nouvelles étaient mauvaises. Personne n'avait jamais vu la jeune fille dont le Fils jeune leur avait tracé le portrait.

En raison du grand nombre de guerriers qui parcouraient le Síd et la surface d'Ériu, la nouvelle de la maladie de son fils parvint rapidement aux oreilles de Dagda.

Alors que le Dieu Bon s'entretenait avec Celtina, un messager vint le trouver pour lui demander son aide.

– Ton fils est en train de perdre la santé à cause d'une vision qu'il a eue dans ses rêves, résuma le guerrier. Nous ne trouvons pas cette incomparable beauté qui lui a volé le sommeil et l'appétit, et nous sommes désespérés.

Mac Oc n'a plus la force d'entreprendre quoi que ce soit. Tu dois l'aider.

– Très bien, accepta Dagda. Je vais requérir l'aide de tous les dieux. Si tous les Thuatha Dé Danann se mettent à la recherche de cette fille, elle ne pourra rester cachée bien longtemps.

– Je peux peut-être me rendre utile, proposa Celtina.

Dagda hésita.

– Il vaut mieux que tu regagnes les Côtes de la Mort et que tu poursuives ta mission, déclara-t-il enfin. Il se passe trop de choses étranges dans le Síd et je crains que cela soit plus dangereux pour toi de rester parmi nous que de reprendre ta route. Cette quête ne te concerne pas et tu as mieux à faire qu'à courir après un rêve…

– Si cette jeune fille se cache ainsi, c'est qu'il y a sûrement une raison, insista Celtina. De toute façon, je ne perds pas mon temps en restant un peu plus dans le Síd, puisqu'ici le temps ne compte pas.

– Il ne compte pas si Mac Oc recouvre la santé, insista Dagda. Car s'il dépérit encore plus ou s'il meurt, nous serons tous condamnés. Et toi plus que tout autre. N'oublie pas qu'il est le maître du temps et de la jeunesse.

– Raison de plus pour que nous cherchions tous à retrouver cette mystérieuse fille. Peut-être acceptera-t-elle de me parler, à moi qui ne suis ni une déesse ni une Gaëlle… Et je suis aussi une fille. Il y a des secrets qu'on ne se confie qu'entre filles, insista Celtina.

– D'accord. Fais ce que tu veux. De toute façon, je crois que tu n'en feras qu'à ta tête… lança Dagda d'un petit air complice.

Le Síd fut parcouru en tous sens par les dieux des Tribus de Dana, tandis que des bruines glaciales, des pluies violentes, des brouillards épais, des tempêtes et des vents déchaînés déferlaient à la surface d'Ériu. Abasourdis, les Gaëls se demandèrent pourquoi la nature s'agitait ainsi, et cela donna naissance à de nombreuses légendes parlant de fantômes, de farfadets, de lutins et de revenants…

Finalement, ce fut dans le Síd, au tertre de Femen, près du lac des Gueules de Dragons que Celtina, qui s'y était arrêtée pour reprendre son souffle, découvrit un spectacle étonnant: cent cinquante jeunes filles, toutes plus belles les unes que les autres, s'ébattaient en riant et en chantant dans l'eau claire. Elles étaient reliées deux par deux par une chaîne d'argent; une chaîne d'or leur ceignait la taille. Mais l'une d'elles, un peu plus grande que les autres, se distinguait par sa beauté et son port de tête princier, et surtout par les deux larges ailes de cygne diaphanes et immaculées qui ornaient ses omoplates.

Intriguée, Celtina examina attentivement cette jeune fille, croyant avoir affaire à Finula, la seule fille des enfants de Lyr* dont lui avait parlé Manannân. Elle l'appela, mais Finula, si c'était elle, ne daigna pas s'intéresser à la visiteuse.

Hum! songea-t-elle, en constatant l'insuccès de sa démarche. *J'ai dû faire une erreur, ce n'est pas Finula... Peut-être que... Mais oui, pourquoi n'y ai-je pas songé en premier! Et si c'était la mystérieuse visiteuse nocturne de Mac Oc?*

La prêtresse se dévêtit entièrement et écarta les ajoncs pour s'avancer dans le lac. Elle alla se mêler aux jeux des baigneuses, tout en manœuvrant pour s'approcher au plus près de celle qu'elle avait remarquée.

L'étrange nageuse se retourna avec appréhension lorsqu'elle sentit les vaguelettes que l'avancée de Celtina provoquait dans le lac, car aucune des cent cinquante jeunes filles qui se trouvaient là n'agitait jamais les flots de cette façon lors de leurs bains.

Toutefois, constatant que Celtina portait au front la marque du triskell, la jeune fille se calma : la nouvelle venue n'était pas une ennemie.

Celtina entama la conversation en se présentant pour gagner la confiance de la femme-cygne. À son grand étonnement, la jeune fille semblait déjà connaître plusieurs éléments de sa biographie.

– Ah! tu es la fille de Banshee, déclara la femme-cygne. Moi, je suis Caer, la fille d'Ethal Anbual, prince des Bansidhe* du lac des Gueules de Dragons.

– Comment… comment me connais-tu?

– Celtina du Clan du Héron, tout le monde te connaît dans le Síd. Nous sommes tous au courant de ta mission, répondit Caer. Mais, dis-moi plutôt: que viens-tu faire ici? As-tu besoin de mon aide?

– Dans un certain sens, oui! se lança Celtina. Tu rends visite à Mac Oc pendant son sommeil, et le maître du temps et de la jeunesse en est tombé malade. Il cherche à te retrouver. Je suis venue à toi pour te convaincre d'aller vers lui, car il est amoureux et en a perdu l'appétit. Si le Jeune Soleil dépérit, nous allons tous en subir les conséquences.

Caer écouta les explications de Celtina avec bienveillance, mais son doux regard azur se voila de tristesse.

– Je ne peux pas apparaître à Mac Oc au grand jour, car comme tu le vois, lorsque Grannus luit, je suis condamnée à être une femme-cygne.

Le sourire de Celtina s'effondra.

– Mais il reste un espoir, reprit la Bansidh. Va dire à Mac Oc que tu m'as trouvée et emmène-le ici. Il pourra me voir en plein jour, telle que je suis vraiment. Alors, il saura s'il m'aime ou si je n'étais qu'un merveilleux rêve pour lui.

Tout heureuse de ce dénouement, Celtina regagna rapidement la rive, enfila ses vêtements et se précipita vers le palais de Dagda. Elle avait tellement hâte d'apporter la bonne nouvelle au Jeune Soleil!

Chapitre 11

De retour à l'Auberge de la Boyne, Celtina raconta ce qu'elle avait vu à Mac Oc et lui expliqua qui était la jeune fille de ses rêves.

– Père, il faut m'aider à l'approcher et à l'obtenir pour femme, implora le Fils jeune de Dagda.

– Hélas! soupira le Dieu Bon qui avait quitté son propre tertre pour venir veiller son fils se mourant d'amour. Je n'ai aucune influence sur les Bansidhe. Personne ne pourra obtenir d'épouser cette jeune fille si son père ne le lui accorde pas lui-même. Et à moins d'y être forcé par la magie ou par la force, Ethal Anbual n'y consentira jamais, car, à ce qu'on dit dans le Síd, il n'a guère de sympathie pour les Tribus de Dana.

– Je n'ai plus assez de force pour combattre les Bansidhe, je ne pourrai pas l'enlever au milieu de ses compagnes, se renfrogna Mac Oc.

– Au cours de la conversation que j'ai eue avec elle, Caer m'a dit que le tertre de son père est situé dans des terres qui appartiennent à des Gaëls, Aillil et Mebd. Peut-être que ces gens pourraient t'aider, suggéra Celtina.

– C'est une idée! Si les Thuatha Dé Danann et les Gaëls unissent leurs forces, peut-être serons-nous assez puissants pour obliger Ethal à accorder sa fille à mon fils, confirma Dagda.

Les dieux n'avaient pas tellement l'habitude des choses de l'amour, à part Cliodhna, mais depuis le vol de la lance de Lug*, la déesse de la Beauté était plutôt mal vue par les Tribus de Dana. De toute façon, les élans du cœur étaient une notion assez inconnue de Dagda qui, malgré ses nombreuses compagnes, n'avait pas l'âme romantique et n'était surtout pas habitué à faire la cour.

– Nous avons tout avantage à tenter l'affaire, opina Mac Oc. Allons-y!

Les Gaëls étaient convaincus que, par la magie, ils pouvaient s'élever au niveau des dieux, lutter contre eux, les vaincre ou, au contraire, les aider ou s'en faire des alliés quand cela se révélait nécessaire. Dagda comptait bien jouer sur cet aspect des croyances des Gaëls en demandant leur aide pour contraindre des divinités secondaires, comme l'étaient les Bansidhe aux yeux des mortels, et pour obliger le père de la belle Caer à se plier aux demandes du Jeune Soleil.

Mac Oc, Dagda, Celtina et une suite fort nombreuse se rendirent donc à la forteresse d'Aillil et Mebd, qui les reçurent avec joie. Après le festin de bienvenue, Celtina se fit la porte-parole des dieux pour raconter l'objet de leur visite aux mortels, car Mac Oc et Dagda pourraient se révéler maladroits et tout gâcher en insistant trop lourdement.

– Dans vos terres se trouve le Síd enchanté d'Ethal Anbual, père de la belle Caer. Le Jeune Soleil en est tombé follement amoureux et voudrait l'épouser. Il en est malade, finit-elle par conclure après avoir fait un long exposé de la maladie de Mac Oc, de leurs recherches infructueuses et finalement de sa découverte de l'existence de la femme-cygne.

– Mais nous n'avons aucune autorité sur les Bansidhe! s'exclama Aillil, étonné par la démarche. Puis, lisant l'extrême déconfiture* de Celtina sur son visage, il ajouta : Mais nous ferons tout notre possible pour satisfaire ta demande, car nous ne voulons pas nous fâcher avec les dieux.

L'intendant d'Aillil et Mebd partit donc sur-le-champ au lac des Gueules de Dragons où par des incantations il parvint, après de nombreuses tentatives infructueuses, à parler au prince du Síd du tertre de Femen.

– Je sais ce que tu veux, lui lança Ethal Anbual, et sache-le : jamais je ne donnerai ma fille au fils de Dagda. Voilà ma réponse.

Le prince des Bansidhe disparut dans un rai de lumière. L'intendant revint, penaud, délivrer le message de refus. Mais Mebd n'était pas du genre à accepter une telle rebuffade, encore moins de la part des fées. Elle s'emporta :

– Puisqu'il en est ainsi, je jure qu'Ethal Anbual devra nous rendre des comptes. Nous rapporterons les têtes de ses guerriers et lui, nous l'emmènerons, de gré ou de force ! Il finira par nous rendre hommage et par se plier à notre volonté.

– Voilà trop longtemps que les Bansidhe nous narguent, confirma Aillil. Nous avons un compte à régler avec ces fées. C'est le moment ou jamais d'agir.

Aillil et Mebd rassemblèrent leur armée et, escortés des guerriers des Tribus de Dana, ils se mirent en route vers le lac des Gueules de Dragons. Sans sommation, les combattants gaëls s'emparèrent du tertre de Femen qu'ils mirent à sac, et comme l'avait promis la reine, ils s'emparèrent d'Ethal Anbual.

De retour à Cruachan, où se dressait la forteresse des Gaëls, Celtina, désignée par les dieux et le couple royal pour tenter de convaincre Ethal, le prit à part et choisit la douceur plutôt que la confrontation.

– Donne ta fille à Mac Oc, et les Gaëls te promettent la liberté ! Ce n'est quand même pas un déshonneur qu'une Bansidh entre dans la famille régnante des Tribus de Dana.

– Non. Je n'en ferai rien, s'obstina le prince des Bansidhe. Les guerriers peuvent bien prendre ma tête, je n'accorderai pas Caer au fils de Dagda.

– Ah! Tu es vraiment têtu, fit Celtina abattue. Ne vois-tu pas que si Mac Oc meurt de désespoir par ta faute, les Tribus de Dana et les Bansidhe sont condamnés à la vieillesse et à la mort à brève échéance. Le Jeune Soleil est le maître du temps… C'est grâce à lui si vous connaissez tous l'éternelle jeunesse dans le Síd.

– Je ne peux pas lui accorder ma fille, soupira Ethal, car même si je le voulais, je ne le pourrais pas.

– Quoi? Tu dis ça pour me décourager. Tu es son père et le prince des Bansidhe, toutes les fées doivent t'obéir.

– Le sortilège qui pèse sur Caer est plus fort que le pouvoir que j'ai sur elle, avoua Ethal Anbual.

– Le sortilège? De quoi parles-tu? Qu'est-ce que tu redoutes?

– Pendant une nuit entière, Caer vit sous forme d'oiseau, raconta Ethal. La nuit suivante, elle est sous forme humaine, même si elle garde ses ailes de cygne. Personne ne peut rien changer à cela.

– Hum! réfléchit Celtina. Cette nuit, sera-t-elle sous sa forme humaine ou sera-t-elle un oiseau?

– Je ne peux pas la trahir! s'exclama Ethal, car le sortilège est puissant et pourrait mettre sa vie en danger.

Aillil qui s'était approché et avait entendu les dernières répliques de la conversation, tira son épée de son fourreau et en menaça la tête d'Ethal Anbual.

– C'est bon ! se rendit le prince des Bansidhe, qui tenait à la vie. Cette nuit, lorsque Sirona sera pleine, Caer revêtira sa forme d'oiseau. Et il raconta à Celtina tout ce qu'elle devait savoir.

Lorsque la prêtresse confia ce secret à Mac Oc, le visage pâle et amorphe du Fils jeune de Dagda retrouva ses couleurs.

– Cette nuit, Caer sera sur le lac des Gueules de Dragons avec ses compagnes, toutes seront des femmes-cygnes. Il sera possible de leur parler depuis le rivage, expliqua Celtina, qui tenait ses informations du père de la jeune fille.

– J'irai sans faute, s'emballa le Jeune Soleil, dont les lèvres bleuies par le froid de la mort qui glaçait son cœur commençaient à retrouver le rouge de la vie.

– Attention, Ethal a dit qu'il sera impossible de les approcher sous une forme humaine, le prévint Celtina.

– Je sais ce que je dois faire ! Merci beaucoup, fit Mac Oc.

Ses yeux clairs avaient retrouvé une première lumière de joie, ce qui ne lui était pas arrivé depuis longtemps.

Aillil et Mebd remirent Ethal Anbual en liberté comme ils l'avaient promis et jurèrent à Dagda que les Tribus de Dana pourraient toujours compter sur leur aide si le besoin s'en faisait sentir.

Le soir même, Celtina, Mac Oc et le Dieu Bon se rendirent sur les rives du lac des Gueules de Dragons. Le Fils jeune, caché dans la roselière*, en bordure de l'eau, ne tarda pas à remarquer la troupe de cygnes qui s'ébattaient joyeusement. Puis il concentra son attention sur celui que la jeune prêtresse lui indiqua. Il l'appela doucement et elle nagea jusqu'au bord de la rive.

– Qui m'appelle? questionna-t-elle.

– Moi, Mac Oc, fils de Dagda des Tribus de Dana! C'est à mon tour de venir te visiter. Viens avec moi Caer, car je ne peux plus vivre sans toi.

– Malheureusement, je ne peux pas suivre quelqu'un d'apparence humaine, soupira le cygne.

Alors Dagda, Mac Oc et Celtina chantèrent une incantation et le Fils jeune fut transformé en homme-cygne.

– Et maintenant? lança-t-il à la femme de ses rêves, peux-tu venir avec moi?

– Je le pourrais assurément, à une seule condition, lui répondit Caer.

– Tout ce que tu voudras!

– Il faudra qu'une nuit sur deux tu me laisses revenir seule sur ce lac, où je dois vivre ma vie de femme-cygne, expliqua Caer.

– Je le promets.

Alors, Mac Oc, sous sa forme d'homme-cygne, se lança sur le lac et nagea aux côtés de sa fiancée. Puis ils s'envolèrent ensemble vers l'Auberge de la Boyne où, au petit matin, Caer put prendre une apparence humaine. Elle était d'une beauté à couper le souffle et Mac Oc fut le plus heureux des Thuatha Dé Danann, surtout lorsque, quelque temps plus tard, Caer lui donna un fils qu'ils appelèrent Diairmaid.

Quelque temps avant ces événements, une petite fille était née dans la forteresse d'Emhain, dans l'île d'Arran. Elle s'appelait Curcog, c'est-à-dire « Mèche de cheveux blonds » et Manannân, qui était son père, l'avait envoyée auprès de Mac Oc pour qu'il l'élève, comme c'était la coutume chez les Thuatha Dé Danann.

À l'Auberge de la Boyne, Curcog s'était liée d'amitié avec Eithné, la fille de Roc, l'intendant du Jeune Soleil, qui était devenue l'une de ses servantes.

Il ne faut pas oublier que le temps ne s'écoule pas de la même façon pour les dieux que pour les mortels. Ainsi, les Thuatha Dé Danann ne restent pas bébés très longtemps. En quelques jours à peine, ils arborent une apparence adulte et sont rapidement dotés des pouvoirs de leur race.

Ce matin-là, Celtina, qui prenait son repas en compagnie de Mac Oc et de Curcog, demanda pourquoi Eithné ne mangeait pas. La jeune fille était pourtant bien portante. La prêtresse songeait même qu'elle était bien enrobée.

À l'Auberge de la Boyne, personne n'avait constaté l'absence d'appétit d'Eithné jusqu'à ce que Celtina en fasse la remarque. On commença à s'inquiéter pour sa santé. On appela même Manannân à la rescousse.

Après lui avoir parlé longuement, le fils de l'océan comprit de quoi souffrait la fille de Roc l'intendant. Lorsqu'il avait rendu visite à Aillil et Mebd du Connachta, Mac Oc avait emmené sa suite, et notamment Curcog et sa servante Eithné.

Dans la forteresse de Cruachan, la jeune fille à l'âme pure avait été gravement insultée par un palefrenier gaël.

Le jeune homme, comme beaucoup de mortels, avait remis en question sa qualité de déesse des Tribus de Dana. Il lui avait dit que si les Thuatha Dé Danann étaient des dieux, elle n'était qu'une subalterne des grandes divinités, car elle n'était qu'une servante. Il avait fait tant et si bien qu'il était parvenu à semer le doute dans l'esprit d'Eithné et la honte de sa condition dans son cœur.

À partir de ce moment, Eithné avait cessé de manger les cochons magiques et de boire la bière enchantée dont les Tribus de Dana raffolaient et qui leur assuraient l'immortalité dans le Síd. Si Eithné ne dépérissait pas physiquement, c'est que chaque jour, en cachette, elle allait retrouvait Loïk, le palefrenier gaël, qui lui fournissait en abondance de la nourriture humaine. Ce n'était assurément pas suffisant pour maintenir son immortalité, mais cela permettait de la conserver en vie.

Heureusement, Manannân lui faisait apporter chaque jour le lait de ses deux meilleures vaches, une blanche et une rousse, de couleur uniforme, sans aucune tache. C'était d'ailleurs le lait de ces deux mêmes vaches dont Celtina avait voulu se servir deux bleidos plus tôt pour briser l'enchantement dont étaient victimes Finula, Aed et les jumeaux Conn et Fiachna, les enfants de Lyr*. Sans guère de résultat.

Or, ce jour-là, la chaleur était suffocante à l'Auberge, et Celtina se demandait quand les dieux allaient lui permettre de quitter le Síd pour reprendre sa quête. Curcog, voyant que la prêtresse s'ennuyait et avait hâte de revoir la lumière du jour, décida qu'une excursion à la surface d'Ériu s'imposait.

Curcog convainquit Celtina de l'accompagner, car elle-même avait envie de se baigner dans la rivière qui portait désormais le nom de la déesse Boann. La fille de Manannân s'éclipsa sans rien dire à personne avec plusieurs de ses suivantes, dont Eithné et Celtina.

Les déesses et la prêtresse se baignèrent pendant un long moment, appréciant la fraîcheur de l'eau. Celtina y prit un grand bain d'énergie, car l'air de la surface lui manquait, même si les palais enchantés des dieux étaient confortables, adaptés à sa condition d'humaine, et surtout même si le monde parallèle du Síd ressemblait presque pierre pour pierre, arbre pour arbre, herbe pour herbe, à la terre d'Ériu.

Puis vint le moment de rentrer à la Brug na Boyne. Tout le monde regagna le Síd, le corps et l'esprit rassérénés.

– Mais… où est donc Eithné? s'étonna Curcog lorsqu'elle appela sa meilleure amie pour lui brosser ses longs cheveux blonds.

Aussitôt, ce fut le branle-bas de combat dans le tertre, tout le monde se mit à la recherche de la servante. Serait-il possible qu'elle ait eu un malaise après le bain? Après tout, le seul aliment magique dont elle se nourrissait était le lait apporté par Manannân, et ce n'était peut-être pas suffisant pour la maintenir en bonne santé.

Mac Oc interrogea tout le monde et Celtina fut bien obligée d'avouer leur escapade à la surface de l'île Verte, car elle n'était pas de taille à taire la vérité aux dieux comme l'avait fait Curcog avec son petit air innocent.

Manannân, Mac Oc, Celtina et Roc se précipitèrent donc vers la surface pour retourner sur les rives de la Boyne. Ils y découvrirent les vêtements d'Eithné sur le bord de l'eau.

– Par Hafgan! jura le fils de l'océan. En enlevant ses vêtements, Eithné s'est dépouillée des derniers attributs magiques qui pouvaient protéger son invisibilité.

– Mais Curcog et les autres suivantes ont aussi ôté leurs vêtements pour entrer dans l'eau, s'étonna Celtina, et elles n'en ont subi aucun préjudice.

– Eithné est très vulnérable depuis qu'elle refuse les cochons magiques et la bière enchantée. Le lait merveilleux qu'elle consomme ne suffit pas à la protéger, expliqua Mac Oc.

– Mais où est-elle donc maintenant? demanda encore Celtina en ramassant les vêtements de la fille de Roc.

Ce dernier n'avait pas encore prononcé un mot, mais les traits affaissés de son visage laissaient clairement comprendre qu'il n'avait plus d'espoir de retrouver son enfant.

– Je crois qu'Eithné est devenue une femme ordinaire, lâcha-t-il, en s'essuyant les yeux du revers de la main.

– Roc a raison, confirma Manannân. Lorsqu'elle a enlevé ses vêtements, ses yeux n'ont pas pu voir à travers le voile magique qui nous cache aux yeux des mortels. Elle a cessé de vous voir et n'a pas pu vous suivre lorsque vous êtes revenues à l'Auberge par le passage souterrain.

– Mais moi, je suis humaine, elle aurait dû me voir! s'exclama Celtina qui n'y comprenait plus rien.

– Non! la détrompa Mac Oc. Tu habites dans le Síd, et tu es toi aussi enveloppée du fedh fiata* lorsque tu vis auprès de nous.

– Pauvre Eithné… que va-t-elle devenir? murmura Celtina, réellement peinée pour la jeune déesse. Ne peut-on rien faire pour la ramener à l'Auberge de la Boyne?

– Elle est à jamais perdue pour nous! la détrompa Roc.

L'intendant pleura sa peine en criant et en se lamentant. Ses cris et ses pleurs de douleur furent entendus jusqu'à la Brug na Boyne où tous comprirent qu'Eithné ne reviendrait jamais.

De son côté, la jeune servante entendit les lamentations de son père, et sa tristesse fut si grande qu'elle défaillit. La mort rôdait au-dessus de sa tête.

Conscient de la faute qu'il avait commise envers les Thuatha Dé Danann, Loïk, le palefrenier gaël, recueillit Eithné et tenta de la sauver en l'entourant de mille soins. Mais la jeune déesse avait perdu son immortalité et elle expira quelques jours plus tard, la tête appuyée sur la poitrine du jeune homme.

Elle était devenue si vieille que ses cheveux tout blancs pendaient lamentablement jusqu'au sol, elle avait perdu toutes ses dents, et son visage desséché s'était ratatiné comme un vieux parchemin brûlé.

Comme on le voit, les événements prenaient une tournure assez étrange dans le Síd avec la maladie d'amour dont avait souffert Mac Oc, mais surtout avec la disparition de Boann et d'Eithné du monde des divinités. Dagda n'aimait pas du tout ces changements et il était inquiet, même s'il n'en montrait rien à personne. Toutefois, une idée germait dans son esprit et il n'attendait que le moment propice pour la mettre en application. Pour cela, il avait besoin de Celtina.

Mais pour l'instant, la Celtie, encore en pleine ébullition à cause des Romains, n'était pas assez sûre pour qu'il permette à la jeune prêtresse de repartir sur les routes pour poursuivre sa mission.

Chapitre 12

Pendant ce temps, à Tara, la capitale spirituelle de l'île Verte, si ce n'était pas encore la panique dans les rangs des Gaëls, on se préparait néanmoins au combat. En effet, les nouveaux maîtres d'Ériu se disputaient encore la possession de ce magnifique et fertile pays.

Comme si cela ne suffisait pas que les Romains viennent semer la mort et la destruction, songeait Dagda, en surveillant de près ce qui se passait au-dessus du Síd. Les Gaëls ont quitté les Côtes de la Mort pour trouver un endroit paisible, mais ils semblent bien incapables de vivre en paix.

En effet, de nombreux messagers arrivaient à bride abattue à Tara depuis le nord d'Ériu, et les nouvelles qu'ils portaient n'étaient pas rassurantes. Emhear, fils d'Ir, avait été tué par un traître qui n'était autre que l'un de ses chefs de guerre, appelé Fidga.

Les guerriers d'Ulaidh s'étaient regroupés autour de l'assassin en prenant le nom des « Tribus de Fidga » et avaient juré de s'emparer du pouvoir dans le Laighean, car ils ne reconnaissaient pas le droit à Sciathbel des Domnonéens, descendant des Fir-Bolg, de régner sur une partie d'Ériu.

Comme la révolte couvait depuis long-temps dans l'armée dirigée par Fidga, les troupes d'Ulaidh étaient mieux entraînées que celles du Laighean. Érémon redoutait que Sciathbel soit destitué. Il avait donc convoqué le Grand Conseil des nobles gaëls et des régents du Laighean, du Connachta et du Mhumhain à Tara, pour discuter des mesures à prendre contre Fidga.

Amorgen était en train de donner son avis, lorsqu'un nouveau messager couvert de poussière s'avança au-devant de l'assemblée. Le druide lui céda la parole, car le porteur de nouvelles semblait terrifié.

– J'arrive de la région du loch Garman… Plusieurs bateaux sont en vue de nos côtes, sur la mer Celtique. Ils semblent lourdement chargés.

– Comment est-ce possible? On signale l'avancée des Tribus de Fidga par le nord, mais leurs guerriers sont à pied, s'étonna Eadan, le co-régent du Connachta.

– Ils ne peuvent pas avoir déjà armé leurs navires pour faire le tour de l'île Verte et envahir le Laighean par le sud, continua Sciathbel. C'est trop rapide!

– Que se passe-t-il donc? s'étonna Érémon dont les yeux de braise, perçants comme ceux d'un aigle, se posèrent sur les deux druides qui le conseillaient depuis sa prise de pouvoir.

– Hier à la nuit tombée, j'ai lu dans les entrailles d'une losgann*, annonça Colphta, la mine sombre. Des jours mauvais arrivent…

– Mais, après la tempête, le beau temps n'est jamais loin, s'empressa d'ajouter Amorgen pour rassurer son roi, en voyant le visage défait d'Érémon.

– Voulez-vous cesser vos allusions et me dire clairement la vérité, s'emporta le roi des Gaëls, qui n'appréciait guère le discours, imagé certes, mais banal, de ses conseillers.

Les deux druides se dévisagèrent car, à dire vrai, aucun des deux n'était en mesure d'en dire plus et leurs circonvolutions* de langage cachaient mal leur ignorance.

– Les entrailles de la losgann ne m'ont pas donné d'informations très précises, dit finalement Colphta, un peu honteux d'avouer les lacunes de son art divinatoire. J'y ai vu une mauvaise nouvelle, mais également une bonne, et cela me laisse perplexe.

– Pour la mauvaise, avec ce qui s'est passé en Ulaidh, je crois que nous sommes fixés, trancha Érémon. Pas besoin d'être devin pour comprendre.

– La bonne est peut-être que, finalement, malgré notre manque d'entraînement, nous serons en mesure de repousser les Tribus de

Fidga, ajouta Sciathbel, sans trop y croire cependant.

Dès le lendemain matin, à la première heure, une mauvaise nouvelle trouva confirmation.

Les Tribus de Fidga déferlèrent sur la région qui était sous la protection de Sciathbel des Domnonéens. Ravageant les champs à peine semés, détruisant les villages en cours d'érection, les guerriers d'Ulaidh ne faisaient pas de quartier et massacraient sans discernement paysans, femmes et enfants aussi bien que nobles, guerriers et artisans.

Pendant ce temps, à Tara, les rôles avaient été distribués entre les différents chefs de guerre. Crimthann le Renard, du Laighean, avait été chargé de défendre les côtes du sud d'Ériu contre les envahisseurs qui arrivaient par la mer. Il attendait donc de pied ferme les combattants d'Ulaidh sur la plage où il était sûr que le débarquement ennemi aurait lieu.

Perché en haut d'une falaise, bien à l'abri des regards, il avait posté ses hommes de façon à pouvoir les faire descendre vers la grève par des sentiers dissimulés dans les hautes herbes vertes, afin de tomber sur les ennemis à peine débarqués.

Mais du premier curragh qui accosta, il fut surpris de voir descendre plusieurs femmes désarmées et au visage peint de guède. Puis il aperçut des marchandises qui furent transférées à terre par des hommes, costauds mais sans armes. Enfin, vinrent quelques combattants, mais aucun d'eux ne semblait menaçant.

Crimthann hésita. Devait-il aller discuter avec les nouveaux venus, ou au contraire, lancer ses troupes contre eux sans chercher à savoir ce qu'ils voulaient?

Il opta finalement pour la diplomatie.

– Restez cachés, ordonna-t-il à ses hommes. Je vais voir ce que veulent ces gens… Ils ne ressemblent pas à des hommes d'Ulaidh. Mais si vous constatez le moindre geste de menace envers moi, alors tombez leur dessus sans pitié!

Crimthann fit avancer son cheval dans un sentier qui menait vers la mer. Il se dirigea vers le groupe d'hommes et de femmes aperçus plus tôt, tandis que quatre autres curraghs s'approchaient pour accoster à leur tour. Arrivé à une distance qu'il jugea sécuritaire, redoutant qu'un javelot adroitement lancé ne vienne mettre un terme à sa vie, il les interpella:

– Qui êtes-vous? Que voulez-vous?

L'un des hommes se retourna, il était assez jeune et portait la robe blanche des druides.

Même si elle était en lambeaux, Crimthann la reconnut parfaitement. Il portait aussi des spirales et des traits bleus sur le visage, comme tous les guerriers qui l'accompagnaient.

– Nous sommes des Pictons, je m'appelle Drostan! déclara-t-il. En tant que druide, je demande l'hospitalité de ton peuple, car les Romains ont pris notre pays. Nous n'avons plus aucun endroit où nous réfugier.

Crimthann grimaça. Drostan, en utilisant les mots « en tant que druide », avait usé d'une formule à laquelle le Renard ne pouvait passer outre.

– Je n'ai pas l'autorité nécessaire pour te répondre, druide, lança le guerrier du Laighean. Mais tu peux rester sur cette plage avec ta troupe et t'y installer jusqu'à ce que je revienne avec le régent de cette région. Tu lui présenteras ta demande toi-même.

– Est-ce ici que je peux trouver Érémon, roi des Gaëls? demanda alors un autre jeune homme que Crimthann n'avait pas remarqué jusque-là.

Il portait des braies et une tunique bleues, son casque de bronze était orné d'ailes de hibou de métal habilement forgées et laissait dépasser ses cheveux sombres impeccablement tressés en deux nattes de bonne longueur.

– Qui es-tu? Que veux-tu au roi suprême des Gaëls? l'interrogea Crimthann, de nouveau suspicieux.

– Je suis Ciabhan de Lemonum*. J'ai une mauvaise et une bonne nouvelle à lui communiquer.

– C'est bon. Viens avec moi! fit le guerrier en hissant Ciabhan derrière lui sur son cheval.

Lorsqu'il arriva à Tara, Ciabhan ressentit comme un pincement au cœur. La dernière fois qu'il avait foulé le sol de l'oppidum sacré, il y avait croisé l'amour dans le regard de la déesse Cliodhna, mais aussi la trahison, car il avait osé s'emparer de la lance magique de Lug et rompre la confiance que les dieux avaient mise en lui.

Pourtant cette fois, force lui fut de constater qu'il n'y avait aucun représentant des Thuatha Dé Danann dans la forteresse. Les exploits des Fils de Milé étaient parvenus aux oreilles de tous les Celtes et chacun savait désormais que les dieux avaient été forcés de poursuivre leur vie dans le Síd, loin des vertes prairies d'Ériu. À ce souvenir, Ciabhan éprouva de la tristesse.

Crimthann, quant à lui, rapporta fidèlement à Sciathbel des Domnonéens son échange avec Drostan le druide.

– J'irai rencontrer ces Pictons dès demain, s'engagea le régent du Laighean. Peut-être pourront-ils m'aider à repousser les Tribus de Fidga.

Puis le Renard emmena Ciabhan devant Amorgen, Colphta et Érémon, qui le prièrent de parler sans crainte.

– Je vous amène des nouvelles des Côtes de la Mort, commença Ciabhan, la tête baissée, car il savait que les propos qu'il allait tenir causeraient une grande douleur au roi suprême des Gaëls.

– Je t'écoute! l'encouragea Érémon qui avait ressenti la gravité de son interlocuteur.

– C'est une mauvaise nouvelle! confirma Ciabhan, le regard toujours fixé sur la pointe de ses sandales. Odhaba, la mère de tes trois fils, est décédée il y a plusieurs lunes.

Le roi grinça des dents et les traits de son visage se déformèrent de douleur.

– Que s'est-il passé?

– Ce sont les Romains… Ils ont encore une fois tenté de s'emparer de Briga. Comme depuis votre départ les Artabros ne sont plus très nombreux, ils ont eu beaucoup de mal à protéger leurs terres. Mais ta femme a fait preuve d'un grand courage en menant sa troupe de guerriers à la bataille. Elle est tombée en brave et je suis sûr que les Thuatha Dé Danann l'ont accueillie avec bienveillance pour lui permettre de poursuivre sa vie avec le même courage, la même détermination et la même gentillesse dont elle a fait preuve au cours de sa vie terrestre.

La croyance celtique voulait en effet qu'après la mort, les Celtes retrouvent leur vie et leur corps régénéré. Continuation de leur vie terrestre, cette nouvelle vie ressemblait en tout point à celle qu'ils avaient vécue à la surface de la Terre, avec ses inégalités et ses mêmes liens sociaux. Ainsi deux amis dans la vie pouvaient de nouveau être amis dans la mort. C'était la raison pour laquelle les esclaves, parfois l'épouse, et les clients d'un chef de guerre mort préféraient souvent brûler avec lui sur son bûcher, avec les chevaux qui traînaient son char. Ainsi, dans la mort, serviteurs et maîtres n'étaient pas séparés et les premiers pouvaient continuer à servir les seconds avec la même indéfectible loyauté. C'était d'ailleurs pour faciliter la poursuite de sa vie que la famille du défunt enterrait avec lui ses armes, ses animaux de compagnie, ses plus beaux atours, et même sa nourriture préférée dans la plus belle vaisselle que possédait sa maison.

— Que Dagda veille sur elle ! lâcha Amorgen.

— Et la bonne nouvelle maintenant, le pressa Colphta, tout fier d'avoir vu juste dans les entrailles de la losgann.

— L'archidruide Maponos, conscient de la grande douleur qui serait la tienne à l'annonce de la perte de ta femme bien aimée, a choisi ta future épouse. Il n'est pas bon que le roi des Gaëls se réfugie dans la douleur, a dit le Sanglier royal.

– Le Sanglier royal nous fait un grand honneur en nous envoyant cette jeune personne, fit Amorgen. Elle est bien jeune, n'est-ce pas ? s'inquiéta-t-il brusquement.

Ciabhan sourit.

– Parfaitement. Elle s'appelle Téa et nous attend sur la plage où Crimthann nous a parlé. Elle est la fille d'un noble de Judée que son demi-frère voulait marier de force à un des Romains qui gouvernent désormais son pays.

– Comment s'est-elle retrouvée en ta compagnie ? s'étonna Colphta.

– Elle s'est enfuie de Judée il y a plusieurs lunes, avant de débarquer à Massalia, où pour son plus grand malheur, elle a été vendue comme esclave par des marchands grecs, raconta Ciabhan. Heureusement, un guerrier gaulois qui passait par là l'a achetée pour l'offrir à Vercingétorix, mais le chef des Arvernes n'a que faire d'une compagne pour le moment. Il l'a conduite dans la forêt des Carnutes auprès de Maponos, et voilà comment elle a été envoyée ici par l'archidruide.

– C'est un cadeau royal, mais penses-tu que Téa sera heureuse de m'épouser ? s'inquiéta Érémon. Je ne veux pas d'une esclave. Je veux une compagne qui saura me seconder dans ma tâche et, s'il le faut, mener mes guerriers au combat.

– Quand tu la verras, tu cesseras de t'inquiéter ! répliqua Ciabhan. En plus d'être belle, elle a du tempérament… Elle a choisi volontairement de m'accompagner à Ériu pour te rencontrer, car Maponos ne l'a pas obligée à me suivre.

– De toute façon, comme le veut notre coutume, vous vous marierez pour un an et un jour, et si après cette année, Téa n'est pas satisfaite de votre relation, elle pourra te répudier et choisir quelqu'un d'autre ou retourner auprès de Maponos, confirma Amorgen.

En effet, selon la loi celte, la femme restait propriétaire toute sa vie de ses biens. Le mariage celte était un contrat passé entre deux personnes et pouvait être rompu si les deux parties n'étaient pas satisfaites. C'était une sorte de mariage à l'essai. Il pouvait être renouvelé d'année en année si tel était le désir des deux époux.

Chapitre 13

Érémon permit donc aux Pictons de s'installer à Ériu. Temporairement, il leur octroya le privilège d'occuper An Mhí, la Terre du Milieu sacrée, placée sous la protection des druides, dont Tara était la capitale et où se situait également l'entrée de la Brug na Boyne, le tertre de Mac Oc.

— Lorsque nous serons débarrassés des Tribus de Fidga, nous nous occuperons mieux de votre installation, mais nous n'en avons ni le temps ni l'opportunité actuellement, expliqua Érémon.

En effet, les hommes d'Ulaidh poursuivaient leur œuvre de destruction du Laighean. Ce n'était donc pas le moment de procéder, comme c'était toujours le cas chez les Celtes, à des fêtes de bienvenue et à des réjouissances interminables.

— Pour vous remercier de votre hospitalité, nous pouvons vous aider à vaincre ce Fidga, annonça Drostan. Les Pictons combattront avec les tiens, Ard Rí…

— Pourquoi risquer la mort pour nous ? demanda Crimthann le Renard, qui voulait

connaître les réelles motivations des nouveaux venus.

– Nous n'avons pas peur de mourir!
s'exclama Ciabhan. Ce que nous craignons,
c'est l'esclavage. C'est pour ça que nous avons
quitté notre pays, car notre roi Duratios a livré
notre terre aux Romains. Nous sommes un
groupe de Pictons qui refuse de servir Rome.

– Comme vous, nous ne voyons pas
l'Autre Vie comme une compensation pour
les maux que nous connaissons dans celle-ci,
poursuivit Drostan, ni comme un châtiment
pour ceux qui ont abusé des plaisirs de ce
monde. Nous ne craignons donc pas la mort.
Mais si tu veux vaincre les Tribus de Fidga, je
te conseille de garder tes hommes en vie!
lança-t-il à Érémon.

– Et de ne pas les sacrifier inutilement par
orgueil et fanfaronnades, poursuivit Ciabhan.
C'est la dure leçon que nous avons apprise en
combattant les Romains.

Le Ard Rí les dévisagea, car il n'y avait
aucune honte à mourir.

Les Celtes croyaient en effet à l'immortalité de l'âme; ils croyaient dans un pays
merveilleux, Avalon ou la Terre des Promesses,
habité à la fois par les morts et par les dieux.
Tous les morts, sans exception, y allaient,
qu'ils aient mené ou non une bonne vie dans
le monde des vivants. Seuls certains trépas-
sés, choisis par les Fomoré eux-mêmes, s'en

allaient vers Tory, le royaume des Morts et du Mal.

Toutefois, certains héros avaient le privilège spécial d'aller dans la Terre des Promesses ou même à Tory sans mourir et d'en revenir. Et tous espéraient faire partie de ces hommes surhumains. C'était ce privilège qu'avait obtenu Celtina lorsque Dagda lui avait permis de visiter le Keugant, l'Abred et le Gwenwed et qu'elle était devenue l'Élue. Toutefois, elle devait éviter Tory où les Tribus de Dana ne pouvaient la protéger.

Malheureusement, comme de plus en plus de Celtes se tournaient vers les croyances romaines voire grecques, le chemin des âmes vers Avalon tendait à s'estomper. Et l'Élue n'était pas encore prête pour restaurer la Terre des Promesses, même si le temps pressait de plus en plus.

Cependant, tous les guerriers pictons qui avaient débarqué à Ériu espéraient pouvoir encore y continuer leur vie de combat, une vie qui leur apportait gloire, honneur et fortune. Dans la Terre des Promesses, les combattants étaient assurés de retrouver leur corps, semblable à celui qu'ils avaient sur Terre. Ils n'avaient donc aucune crainte de mourir, mais insistaient pour que leurs armes surtout soient enterrées avec eux. Car sans armes, comment un guerrier pourrait-il continuer son métier de soldat dans l'Autre Monde?

Toutefois, un grand nombre de Pictons croyaient désormais que les âmes en peine étaient de plus en plus nombreuses à rôder entre le monde des vivants et le monde des morts sans connaître la joie de la Terre des Promesses, et cela à cause des Romains. Et cette vie entre deux mondes ne leur souriait guère.

— Tu ne peux pas te permettre de voir tes hommes errer entre deux mondes, poursuivit Drostan à l'intention d'Érémon. Et surtout, tu as besoin d'eux ici et maintenant, pas dans l'Autre Vie.

— Que faire? Je ne peux pas empêcher mes hommes de mourir ou d'être blessés, s'étonna le Haut-Roi.

— Si tu ne peux l'empêcher, au moins tu peux en sauver quelques-uns qui te seront utiles pour poursuivre la bataille à Ériu, poursuivit Drostan. Je connais un moyen infaillible de guérir les blessures. Et parce que tu nous as recueillis dans ton pays, je peux bien partager ce savoir avec toi.

Drostan sortit d'une poche qui pendait à sa ceinture la feuille d'une plante charnue* qui suintait un liquide blanc jaunâtre.

— C'est une plante qu'utilisent les Romains, les Grecs et même d'autres peuples, expliqua-t-il. Elle a la propriété de coaguler le sang des blessures, de cicatriser les écorchures, de soulager les plaies ouvertes…

– Tu dis que ce… lait… peut soigner les hommes, fit Crimthann en faisant rouler entre le pouce et l'index le gel collant obtenu en pressant la feuille de la plante.

– Sans équivoque. J'ai vu les Romains l'utiliser, confirma Ciabhan. Maponos a réussi à en obtenir de bonnes quantités auprès des marchands grecs. C'est lui qui nous a demandé d'en garder toujours sur nous. Désormais, nous savons mieux soigner les blessures et nous perdons moins d'hommes des suites de nos combats. C'est un élément important dans la lutte des rebelles gaulois contre les Romains.

Les guerriers pictons s'étant joints à ceux du Laighean, du Mhumhain et du Connachta, les attaques des Tribus de Fidga d'Ulaidh furent enfin repoussées. Le chef de guerre perdit la vie dans le combat et ses hommes, démoralisés par la défaite, se rendirent sans chercher à résister plus longtemps.

Érémon, triomphant, décréta une grande fête en l'honneur des Pictons qui l'avaient si bien soutenu, mais aussi pour célébrer son mariage avec Téa de Judée.

Lorsqu'il sortit de sa maison, le Ard Rí avait fière allure. Ses longs cheveux noirs encadraient un visage halé et des yeux bleu d'acier. Le Haut-Roi était coiffé d'un casque de bronze finement plaqué de feuilles d'or, au sommet duquel trônaient des dards aigus comme les crêtes d'un dragon.

Il avait revêtu ses plus beaux atours, une tunique de laine verte, des braies rouges serrées sur ses jambes par des liens dorés ; une grande saie à carreaux vert et or était retenue sur son épaule par la broche de Tara, une fibule d'or finement ouvragée, symbole de souveraineté. Un imposant torque d'or étincelait à son cou et ses bras nus étaient également ornés de bracelets d'or. À son ceinturon de bronze pendaient des lamelles du même métal, attachées par des courroies de cuir, ce qui lui protégeait le ventre. À son flanc, il avait sa courte épée celtibère, en acier fin et à la poignée d'ivoire. Aux pieds, il portait des bottes de cuir. Sa beauté resplendissante lui donnait l'air d'un dieu.

Il empoigna les rênes dorées de Liffe, son coursier, qui piaffait d'impatience sous son harnachement de fête. Érémon sauta sur sa selle garnie de peaux de loup gris et se dirigea au petit trot vers la maison où Téa achevait sa toilette.

Aussitôt, une dizaine de chevaliers de sa suite et ses écuyers, dont l'un brandissait l'étendard vert et or frappé d'une harpe dorée de sa maison, lui emboîtèrent le pas, en dressant une haie de lances derrière lui. Leurs casques étaient ornés de cornes de bélier, de bois de cerf, d'ailes de hibou, de hures de sanglier, et d'une tête de renard pour Crimthann.

Téa sortit à son tour de la maison. À son regard rempli d'amour, tous purent constater qu'elle était émue par la vision de son futur époux si magnifique et si impassible malgré les circonstances, conscient que tous l'observaient avec envie et admiration.

Elle aussi avait revêtu des habits de fête celtes. Elle portait une robe d'une blancheur resplendissante et ses longs cheveux noirs tressés avec patience étaient disposés en couronne, retenue par un fin bandeau d'or, sur lequel étaient piquées de petites fleurs roses et blanches, fixées par des épingles dorées. Elle portait un collier d'ambre et d'or, des bracelets encerclaient ses bras et ses poignets, tandis que de fines chaînes d'or ornaient ses chevilles.

Les deux futurs époux furent conduits dans la salle des banquets de Tara, où de longues tables de bois avaient été dressées. Rapidement les tonneaux de bière, d'hydromel et même de vin furent mis en perce, et les mets les plus fins et renommés furent servis à tous. On avait fait rôtir des moutons, des bœufs et des porcs entiers, farcis de chair de canard, de héron, d'oie, de grue et de hérisson pour satisfaire tout le monde, du plus noble jusqu'à l'esclave. Les brocs et les hanaps remplis des meilleures boissons se succédaient sur les tables couvertes de fleurs. On avait rarement eu l'occasion de telles agapes* dans le nouveau royaume gaël.

La fête se prolongea jusque fort tard dans la nuit, animée par les plus beaux chants des druides Amorgen et Colphta et les danses échevelées des convives. Puis on se ménagea une pause pour permettre aux invités d'offrir leurs présents.

Érémon reçut une large ceinture de bronze doré incrustée de pierreries et gravée de multiples cercles, spirales, cerfs et chiens stylisés ; un bouclier sur lequel était peint une harpe dorée et un nouveau casque aux dards acérés ; mais aussi des lances, des pointes de javelot, des haches au tranchant effilé et de nombreuses pièces d'équipement pour Liffe.

Téa ne fut pas en reste, car en plus de nombreux vêtements de cérémonie vert et jaune, elle reçut des chaussures recouvertes de feuilles d'or, un énorme cratère en bronze aux anses ouvragées représentant chacune la tête de la déesse Brigit, des coupes d'or massif et de céramique, des fibules d'or, d'argent et de bronze en forme d'oiseau, de serpent, de chien ou de cerf, des bagues de verre, d'ambre et de corail, des boucles d'oreilles et des ceintures en or, un splendide poignard à la garde en corne, un masque en bronze représentant

Cernunos, des garnitures de bronze en forme de tête de cheval et des phalères* ajourées pour le char à quatre roues que lui offrit Amorgen.

Tous les invités avaient rivalisé d'ingéniosité et de générosité pour combler le couple des présents les plus beaux et les plus luxueux. Ils reçurent des animaux vivants pour enrichir leurs troupeaux, des moutons, des chèvres, mais aussi des chiens pour les garder.

La fête se poursuivit jusqu'aux petites heures du matin qui trouvèrent tous les invités et les mariés endormis les uns par-dessus les autres sur le sol en terre battue de la salle des banquets.

Les druides furent les premiers à reprendre leurs esprits. Grannus était déjà au zénith et la douzième heure du jour achevait son cycle.

– C'était une belle fête ! s'extasia Drostan. Cela fait bien longtemps que nous, les Pictons de Gaule, nous n'avions pas connu de telles célébrations selon nos coutumes. Les Romains sont en train d'introduire certains de leurs usages dans nos cérémonies et ce n'est plus comme avant.

– Je ne veux pas avoir l'air d'un rabat-joie, mais il faut maintenant revenir aux choses sérieuses, fit Amorgen. Nous avons vaincu les Tribus de Fidga, mais l'Ulaidh est désormais sans roi.

– Il faut vite combler cette lacune avant que cette région n'attise de nouveau les convoitises et ne soit l'objet de nouvelles batailles, confirma Colphta en se massant les tempes pour sortir des brumes où l'avait plongé l'excès d'hydromel.

– Comme nous sommes temporairement installés dans An Mhí, pourquoi ne pas confier le destin d'Ulaidh aux Pictons, proposa Drostan. Ainsi, vous serez assurés d'avoir de fidèles alliés au nord comme au sud, à l'est comme à l'ouest. Vous n'aurez plus à craindre qui que ce soit.

Les druides gaëls échangèrent des regards étonnés et anxieux. La proposition du druide picton était tentante, mais Érémon allait-il l'accepter?

Dans la bataille contre les Tribus de Fidga, le jeune Haut-Roi avait démontré une force de caractère et une volonté qu'on ne lui connaissait pas jusqu'alors. Il avait su rendre coup pour coup, se montrer aussi cruel que son adversaire.

– Ce ne sera pas facile de convaincre Érémon, soupira Amorgen. Il a goûté à la victoire trois fois, d'abord contre les Thuatha Dé Danann, puis contre son frère Éber et maintenant contre Fidga. Le pouvoir l'a enivré.

– Tu complotes, mon frère! lança la voix d'Érémon qui, tout en maintenant son épouse enlacée entre ses bras sur le sol, n'avait pas perdu une seule parole échangée entre les trois druides.

– Non… fit Amorgen en ricanant. Je dis simplement que le trône d'Ulaidh est libre et qu'il ne peut pas le rester. Tu dois choisir un régent…

– Tu pourrais offrir ce pays aux Pictons pour les remercier de leur aide, ajouta Colphta.

– En effet, je le pourrais… déclara Érémon en écartant son épouse endormie pour se mettre debout. Titubant, il se dirigea vers les trois druides. Mais pourquoi le ferai-je?

– Par loyauté, suggéra Drostan, le sourire aux lèvres.

– Si les Pictons veulent l'Ulaidh, ils devront le mériter, ajouta encore Érémon la bouche pâteuse.

Il s'empara d'un pichet de bière à moitié renversé qui gisait sur le sol et le vida gou-lûment.

– Je crois que nous avons prouvé notre valeur, intervint alors Ciabhan qui venait lui aussi tout juste de se réveiller et se levait de peine et de misère.

Il porta la main à son côté pour y saisir son glaive. Ne le trouvant pas, il le chercha partout du regard.

– Du calme! intervint Amorgen. Nous avons fait la fête pour célébrer la victoire et le mariage du Haut-Roi, nous n'allons pas finir une si belle cérémonie dans le sang.

– Que proposes-tu? demanda Ciabhan qui avait fini par récupérer son épée fichée dans le bois d'une table renversée, mais qui ne s'était pas résolu à la remettre dans sa gaine.

– Une course, tout simplement! répondit le vieux druide.

Et il fit signe à Ciabhan de ranger son arme. Le jeune Picton tourna son regard vers Drostan, pour lui demander son avis. Le druide picton acquiesça d'un signe de tête. Ciabhan raccrocha son épée à sa ceinture.

– D'accord, faisons une course! opina Drostan. Je te propose de conduire nos deux champions au large d'Ulaidh. De là, ils devront nager jusqu'à la côte. Le premier à toucher la grève deviendra le nouveau régent de cette terre.

Chapitre 14

– Qui choisis-tu pour te représenter, Picton ? demanda Érémon à Drostan, lorsque le curragh s'immobilisa à une distance assez éloignée de la côte.

– Ce sera Ciabhan notre champion ! déclara Drostan à la grande surprise des Gaëls, mais encore plus du principal intéressé qui ne s'attendait pas à cet honneur et à cette responsabilité.

Érémon regarda Crimthann, puis quelques-uns de ses principaux lieutenants, comme s'il hésitait sur le choix à faire.

– Ce sera moi qui affronterai Ciabhan, laissa-t-il tomber après quelques secondes de silence, en détachant les courroies d'or qui serraient ses braies.

Le Haut-Roi enleva ensuite sa tunique, mais garda ses braies, à la ceinture desquelles il glissa son poignard. Ciabhan l'imita, mais ne prit aucune arme, car il n'avait pas l'intention de se montrer mauvais perdant si le destin ne lui permettait pas de toucher à la terre d'Ulaidh le premier.

Puis, s'étant mutuellement souhaité bonne chance, les deux champions sautèrent à l'eau simultanément.

Droit devant eux se dressaient de hautes falaises recouvertes de landes et de fleurs sauvages fuchsia surplombant une grande plage de sable blond qui marquait la ligne d'arrivée.

Le soleil brillait, il n'y avait pas de vent et la mer était calme. La journée était parfaite pour ce genre de course.

Ciabhan et Érémon étaient tous deux de très bons nageurs, et ce fut côte à côte qu'ils avancèrent dans l'eau fraîche, ni l'un ni l'autre n'arrivant à prendre une avance assez confortable pour prétendre à la victoire.

Sur la plage et dans le curragh d'Amorgen, les partisans du Picton et du Gaël criaient leurs encouragements à gorge déployée. Les deux druides gaëls et celui des Pictons se surveillaient du coin de l'œil pour s'assurer qu'aucune incantation pour favoriser ou au contraire pour ralentir l'un des participants n'était prononcée. Tout se passait très bien, personne ne trichait et le spectacle était beau à voir.

Après une bonne demi-heure d'efforts soutenus, Ciabhan se détacha finalement de son concurrent d'environ une coudée. Érémon, furieux d'avoir perdu du terrain, accéléra la cadence, mais le Picton avait de bonnes réserves d'énergie et ne se laissa pas surprendre. Il soutint le rythme et conserva une tête d'avance.

La plage n'était plus qu'à quelques brasses lorsque Ciabhan, battant plus fort des pieds et des bras, imposa son tempo. Voyant qu'il allait perdre la compétition et donc l'Ulaidh, Érémon détacha son poignard de sa ceinture.

Dans le curragh des cris de protestation retentirent. C'était Drostan qui avait vu luire la lame du Ard Rí à la faveur d'un rayon de Grannus. Colphta et Amorgen n'osèrent pas prononcer une seule parole, mais froncèrent très fort les sourcils en signe de désapprobation.

Ciabhan tourna la tête et vit lui aussi le coutelas. Surpris, il cessa de nager une seconde, tandis que la peur envahissait son cœur. Il manqua de couler, mais se reprit, car la plage étant à portée de main, ce n'était pas le moment de flancher.

Ce fut alors que le jeune Picton vit l'eau de mer qui se colorait de sang. Il tourna encore la tête et aperçut Érémon qui brandissait son bras gauche sanguinolent au-dessus des flots. D'un geste vif, le Haut-Roi s'était tranché la main à la hauteur du poignet. Puis, dans un mouvement de dépit et d'ultime défi, le roi des Gaëls lança sa main sur le rivage d'Ulaidh, devenant ainsi le premier à toucher la terre convoitée.

Ce fut par ce subterfuge sanglant que le Haut-Roi remporta la compétition et conserva la terre d'Ulaidh pour les Gaëls. Depuis ce temps, la main rouge est d'ailleurs devenue le symbole de cette région du nord d'Ériu.

Moins de deux secondes après que la main fut tombée sur le rivage, Ciabhan toucha à son tour le sable de la plage. Il se remit sur ses pieds et regarda où se trouvait son adversaire. Érémon avait défailli sous la douleur et avait perdu connaissance dans l'eau. Il allait se noyer si personne ne l'aidait.

Le jeune Picton avança dans l'eau et tira le corps du Haut-Roi sur le rivage. Des yeux, il chercha quelque chose pour faire un garrot au membre coupé et pour faire cesser le flot de sang. Il n'avait rien à portée de main.

Cependant, Amorgen avait pris lui aussi la direction de la plage et échoua son curragh tout près des deux nageurs. Rapidement, les trois druides vinrent au secours du roi suprême et stabilisèrent l'horrible blessure grâce à la plante au lait gluant que Drostan gardait toujours sur lui.

Puis la troupe remonta dans l'embarcation et retourna toutes voiles dehors vers Tara afin d'y soigner plus adéquatement Érémon, toujours évanoui.

En combinant leur science de la médecine, Amorgen, Colphta et Drostan parvinrent à sauver la vie d'Érémon. Toutefois, lorsqu'il se réveilla de son coma trois jours plus tard, le Haut-Roi s'étonna de constater que les Pictons étaient toujours dans la Terre du Milieu. Il entra dans une furieuse colère et convoqua Drostan et Ciabhan.

– Tu as perdu la course. Il n'y a aucune terre disponible pour les Pictons à Ériu. Vous devez partir, lança-t-il à la tête de Ciabhan.

– Tu nous chasses? s'étonna le jeune guerrier picton.

– Parfaitement. Vous n'avez plus rien à faire ici… Partez! Je ne veux plus voir vos visages peints…

– Et où irons-nous? le questionna Drostan. Nous te l'avons dit, nous ne pouvons retourner en Gaule. Nous sommes des rebelles et les Romains vont nous traquer sans pitié.

– En plus d'être jaloux, tricheur et sournois, aurais-tu aussi un cœur de pierre? le provoqua Ciabhan, qui avait dû concéder la victoire, mais n'acceptait toujours pas la manière dont la course s'était terminée.

– Allez au nord de l'île de Bretagne, en Calédonie*, leur conseilla Amorgen qui avait déjà eu l'occasion de visiter l'endroit. Là-bas la terre est aussi fertile qu'ici, les paysages se ressemblent, mais la région est fort peu peuplée. Vous y trouverez un pays à votre mesure.

– C'est ça, qu'ils s'en aillent en Calédonie et qu'on ne les revoie jamais, lâcha le Haut-Roi dans un râle de douleur.

– Si le pays est peu peuplé, comment ferons-nous pour établir notre descendance? continua à l'interroger Ciabhan. Les seules femmes qui sont venues de Gaule avec nous sont ton épouse Téa et ses servantes. Qui portera nos enfants?

Érémon ne dit rien et se retourna sur sa couche, comme s'il tournait le dos à ses interlocuteurs pour mettre un terme à la discussion. Puis finalement il marmonna:

– Les veuves des Fils de Milé qui ont péri en mer lors de notre conquête d'Ériu pourront épouser les Pictons et partir avec eux.

– Trop aimable! grommela Ciabhan.

– Toutefois, je mets une condition à ce don, rajouta Érémon en se retournant pour faire face de nouveau à Drostan et Ciabhan. C'est que chez les Pictons qui seront issus des Gaëlles, les héritages se transmettent par les femmes et non par les hommes.

– Par Grannus et Sirona, je jure que les Pictons respecteront cette geis, promit Drostan. Nous maintiendrons ce droit des femmes en matière de succession.

Ciabhan ne dit rien, mais son hochement de tête indiqua à tous qu'il acceptait lui aussi de se conformer à ce désir des Gaëls.

– Par contre, ajouta Drostan, parce que tu as manqué à ta parole, parce que tu ne t'es pas montré beau joueur, alors que la victoire était à portée de main de Ciabhan, je te le dis, roi Érémon, tu ne profiteras pas de ta forfaiture.

Tu mourras de ta blessure et ton âme ne trouvera le repos dans la Terre des Promesses que si l'Élue parvient à remplir sa mission. D'ici là, tu erreras comme une âme en peine entre le monde des morts et le monde des vivants. Ce que j'ai dit, nul ne peut le défaire, pas même moi!

Érémon tourna un regard chargé de terreur vers son frère Amorgen, mais ce dernier haussa les épaules. Il ne pouvait rien faire pour défaire ce sort. Une geis prononcée par un druide avait force de loi.

Ciabhan et Drostan quittèrent aussitôt Tara avec leurs hommes et s'en allèrent vers la Calédonie comme le leur avait conseillé Amorgen. Ils s'y établirent sans problème.

Comme Drostan l'avait promis à Érémon, en établissant les nouvelles lois de sa communauté, il fit en sorte que la société se base sur un système matriarcal* et que le pouvoir se transmette par les femmes. Les filles et les sœurs de rois pictons qui épousaient des nobles et des princes étrangers transmirent ainsi la royauté picte à des chefs venus de partout en Celtie.

Érémon, pour sa part, chercha tant bien que mal à soulager la douleur qui irradiait dans son bras mutilé. La mort rôdait autour de la couche où il gisait depuis ce jour fatidique où il avait remporté la compétition par la ruse.

Entre-temps, les Thuatha Dé Danann s'étaient réunis chez Dagda pour discuter des derniers événements survenus dans le Síd. Le Dieu Bon avait décidé de leur soumettre l'idée qui le tourmentait depuis quelques jours. Il n'était pas sûr de bien agir, même si sa décision était prise. Désormais, il lui faudrait vivre avec les conséquences de ce geste fou qu'il s'apprêtait à commettre. Il devait simplement en avertir les Tribus de Dana, puisque son idée aurait d'importantes répercussions sur leur existence.

– J'ai décidé de confier mon chaudron à la jeune Celtina, déclara-t-il, pendant que les dieux et les déesses, dans un brouhaha indescriptible, commentaient la terrible mort d'Eithné, sans lui accorder la moindre attention.

Sa déclaration se perdit dans la cacophonie ambiante. Personne n'avait prêté attention à ses propos. Se raclant le fond de la gorge avec un bruit de tonnerre pour attirer l'attention des divinités dissipées, Dagda parla plus fort, et cette fois, ses paroles jetèrent un froid sur l'assemblée.

– Mais, tu n'y penses pas! protesta d'emblée Mac Oc. Le chaudron est un ustensile indispensable à notre survie.

— C'est notre objet le plus sacré, le coupa Brigit. Il nous donne l'abondance, rassasie notre faim et étanche notre soif.

— C'est un objet de résurrection que nous utilisons à la guerre, cria Morrigane, la déesse des Champs de bataille.

— Oui, je sais tout cela, soupira Dagda. Mais n'ayez crainte, je veux simplement que Celtina le dépose à Murias entre les mains de Semias qui l'a fondu autrefois, et où il sera à l'abri de l'avidité des mortels.

— Hum, c'est risqué! déclara Carthba le druide. Si les Gaëls apprennent que Celtina possède nos talismans, plus rien ne les empêchera de nous éliminer totalement en se les appropriant.

— Pourquoi ne l'y conduis-tu pas toi-même? le questionna Taranis le bougon, dieu de la Foudre et du Tonnerre.

— Parce que nous ne pouvons plus retourner dans les Îles du Nord du Monde dont nous avons été chassés autrefois, l'auriez-vous oublié? ronchonna Dagda.

Pendant ses longues heures de réflexion sur l'avenir des Tribus de Dana, le Dieu Bon avait compris que la mémoire des divinités était devenue pour le moins sélective depuis quelque temps. Dagda songea que les dieux se rappelaient ce dont ils voulaient bien se souvenir dans le moment présent, sans chercher à avoir une vision à plus long terme. Il l'avait constaté avec le comportement de sa femme Boann, mais surtout d'Eithné qui était devenue mortelle de son propre chef.

Il se demandait s'il était le seul à percevoir ces changements d'attitude. Depuis que les Celtes se détournaient de leurs croyances, les dieux avaient perdu le pouvoir dans l'île Verte et voilà maintenant que même dans le Síd, les pires malheurs pouvaient les frapper sans qu'ils les voient venir ou puissent seulement les prévenir.

– Que proposes-tu? demanda finalement Manannân, le fils de l'océan.

– Si Celtina transporte le chaudron, nous sommes assurés qu'il restera invisible jusqu'à ce qu'elle le dépose à Murias, répondit Dagda. Personne ne pourra s'en emparer.

– Très bien. Mais réponds à la question de Mac Oc, comment allons-nous assurer notre survie? insista Rosmerta, la déesse de l'Abondance.

– Nous avons les cochons magiques de Manannân. Ils peuvent être tués et mangés un jour et revenir à la vie le lendemain, prêts à être de nouveau tués et mangés. Nous ne manquerons pas de nourriture.

Le fils de l'océan opina de la tête. Ses cochons magiques avaient toujours parfaitement rempli leur rôle.

– Pour les boissons, c'est mon rayon! intervint Ceraint. Ma bière merveilleuse nous désaltérera comme elle l'a toujours fait.

– Je ne sais pas, soupira Ogme, le dieu de l'Éloquence. Nous réservons les cochons magiques et la bière merveilleuse de Ceraint pour les Festins d'immortalité ou dans les cas graves, n'as-tu pas peur qu'ils perdent leur puissance si nous les utilisons comme de la nourriture commune?

– C'est le risque à courir, avoua Dagda. Et c'est pour cela que je vous demande de vous ranger derrière moi. Nous devons prendre une décision collective et en assumer les conséquences tous ensemble.

– Si nous avions gardé l'épée de Nuada et la lance de Lug, jamais nous n'aurions été battus par les Gaëls, commenta Nemain, la déesse de la Guerre. La perte du chaudron risque de peser encore plus lourd sur notre existence.

– Et si jamais nous devions de nouveau affronter les mortels, comment allons-nous soigner nos blessés et ressusciter nos morts? s'inquiéta Agrona, la déesse des Différends.

– Diancecht, Airmed et Octriuil mettront leurs connaissances médicales en commun et nous soignerons, rétorqua Dagda. Ne soyez donc pas si inquiets, faites-moi confiance.

– Je suis d'accord avec ton idée, déclara Sucellos, le dieu protecteur. Mais à une condition: tant que le chaudron ne sera pas entre les mains de Semias, tu dois t'assurer qu'en cas de besoin, Celtina revienne rapidement dans le Síd de façon à ce que tu puisses reprendre possession de ton bien.

Les autres dieux et déesses opinèrent en laissant échapper des murmures plus ou moins convaincus, mais peu de remarques négatives.

– C'est bien, tu as notre accord! conclut Lug, le dieu de la Lumière.

Répondant à un signe de Dagda, un serviteur alla chercher Celtina qui avait été confinée dans une pièce à l'écart le temps que les dieux délibèrent.

Lorsque la prêtresse entra dans la salle du conseil de Dagda, elle remarqua tout de suite l'immense chaudron d'immortalité qui trônait au milieu de la pièce.

Constitué de plaques d'argent travaillées au repoussé, ses faces externes étaient gravées de divers portraits de Dagda portant son torque royal avec sa massue montée sur roues, ou jouant de Dur-Dabla, sa harpe magique. Sur les faces internes, elle devina des portraits de divers dieux, dont celui de Cernunos coiffé de ses bois de cervidé, accompagné d'un serpent à tête de bélier. Elle vit aussi des cavaliers, des fantassins, des loups, des cerfs, un griffon et, dans le fond du chaudron, la représentation du taureau du sacrifice.

Dagda lui fit part de la décision unanime des Thuatha Dé Danann. Écrasée par le poids de cette nouvelle responsabilité, Celtina retenait son souffle. Car même si toutes les missions dont elle était chargée relevaient de la même, à savoir, restaurer la Terre des Promesses et sauver les croyances celtiques, elle trouvait que son statut d'Élue devenait de plus en plus lourd à porter.

Elle aurait bien aimé partager son fardeau avec quelqu'un. Elle songea à Arzhel. Avait-il réussi à obtenir certaines parties du secret des druides ? Pourrait-il la soutenir le moment venu ? Ou s'entêterait-il à vouloir jouer la partie seul de son côté ?

Si la confiance qu'on lui témoignait lui donnait une certaine assurance, elle en ressentait aussi tout le poids. Elle devrait toujours se montrer à la hauteur et ne pas faillir, ce qui était une responsabilité terrible. Ne pas décevoir était aussi difficile que poursuivre sa quête.

Voyant son désarroi, Dagda tenta de la rassurer en lui promettant que le chaudron d'immortalité resterait tout aussi invisible que l'épée de Nuada et la lance de Lug qu'elle devait aussi déposer dans les Îles du Nord du Monde lorsque l'occasion s'en présenterait.

Chapitre 15

Si, à première vue, les dieux et les déesses avaient accepté à l'unanimité de confier le précieux chaudron de Dagda à Celtina, chez les Bansidhe et les magiciennes, le consensus* n'était pas aussi facile à trouver. La sorcière Cerridwen était la plus opposée à cette idée, car elle-même convoitait le fameux récipient magique.

La sorcière, femme du géant Tegid-le-Chauve, vivait avec son époux, en dehors d'Ériu, en plein centre d'un lac placé sous la responsabilité d'Ethal Anbual, le prince des Bansidhe. Le repaire de Cerridwen se trouvait en effet dans l'île de Bretagne et, plus précisément, dans la région de Cymru.

Le couple avait trois enfants. L'aîné, Morfrân, surnommé Corbeau de mer, était laid à faire peur avec ses longs poils noirs qui lui couvraient tout le visage, et tous se détournaient de lui. Il était cependant doté d'une force prodigieuse, ce qui lui avait permis d'intégrer une troupe de guerriers.

Le second enfant était une adorable et intelligente nymphe* à la peau laiteuse, presque transparente, Creirwy, aussi appelée Pur Joyau tellement sa beauté était à couper le souffle. Elle était encore plus belle que sa mère, ce qui n'était pas peu dire, car avec ses longs cheveux noirs et sa taille svelte, Cerridwen était très belle, même si elle avait mauvais caractère.

Enfin, venait le benjamin, Afagddu dit Castor noir, qui non seulement était encore plus laid que son frère aîné, mais était surtout faible, stupide et méchant.

Pourtant, Cerridwen les aimait tous les trois de la même façon; en fait, elle avait même une petite préférence pour le dernier qui était rejeté de tous, et elle voulait l'aider du mieux possible. Mais pour cela, il lui fallait absolument mettre la main sur le chaudron de Dagda, car les nobles des Bansidhe avaient décidé de n'accepter Castor noir parmi eux que s'il était doté d'un don merveilleux qui ferait oublier son apparence contrefaite. Afagddu devait absolument acquérir l'intelligence et la vivacité d'esprit qui lui faisaient tant défaut, ainsi que la sagesse et un don de poésie. Alors seulement, il pourrait trouver sa place parmi son peuple.

Cerridwen était donc résolue à se servir du chaudron de Dagda pour combler son fils des dons qui lui manquaient, car l'ustensile avait la particularité de fournir l'inspiration.

Mais en voulant confier son talisman à Celtina, le Dieu Bon avait contrecarré tous les plans qu'elle dressait depuis des mois pour s'en emparer sans être soupçonnée. Cerridwen devait agir avant que la prêtresse prenne possession de l'ustensile magique et qu'il devienne invisible aux yeux de tous, Bansidhe et mortels.

Depuis des années, Cerridwen élevait des monstres fabuleux qui lui servaient à maintenir son pouvoir de sorcière sur ceux qui osaient la provoquer ou adressaient un mot malheureux à ses fils. Elle possédait surtout un formidable élevage de cockatrices, créatures parmi les plus dangereuses qui aient jamais existé dans l'Autre Monde.

Si sa tête et ses pattes étaient celles d'un coq géant, la cockatrice avait un corps et une queue de serpent. Ses ailes, même si elles ressemblaient par leur morphologie et leur fonction à celles de tous les volatiles, étaient dotées d'une particularité qui les rendait redoutables : deux griffes acérées pointaient à leurs extrémités. Née d'un œuf de coq, ce qui était pour le moins difficile à trouver même dans l'Autre Monde, et couvée par un crapaud, l'animal était réputé avoir le pouvoir de changer son adversaire en pierre d'un simple regard.

Au moment qu'elle s'était fixé pour passer à l'action, Cerridwen pénétra dans l'enclos de ses effroyables volailles. Elle les examina les unes après les autres afin de faire le meilleur choix possible. Finalement, elle détacha sa plus redoutable cockatrice qui était toujours solidement retenue par une chaîne aux maillons épais, en plus d'être enfermée, seule, dans une cage aux épais barreaux de fer pour éviter tout accident.

De fait, toutes ces créatures étaient isolées les unes des autres, car si une bagarre se déclenchait, plus personne ne parviendrait à contrôler les monstres, pas même leur éleveuse, ce qui pourrait se révéler catastrophique pour les Bansidhe comme pour les Tribus de Dana.

Ce genre de bête ne pouvait être calmée que si elle était tenue par une laisse de métal, instrument que Cerridwen s'empressa de passer au cou de l'animal. La cockatrice devint alors aussi douce qu'un agneau et se mit à suivre sa maîtresse comme un petit chien obéissant.

En usant de magie, la sorcière, suivie de sa redoutable escorte, quitta aussitôt Cymru pour se rendre sur les lieux où elle comptait exercer sa puissance maléfique, c'est-à-dire tout près du palais enchanté de Dagda, sous la colline de Clasaigh.

Là, Cerridwen détacha la cockatrice qui s'élança aussitôt dans les airs et monta en tournoyant, ce qui créa une immense colonne de poussière tourbillonnante. La créature observait les alentours de ses yeux maléfiques. Sa vue était plus perçante que celle de l'aigle et elle pouvait détecter même un ver de terre sur le sol à plusieurs leucas à la ronde. Mais, pour le moment, ce n'était pas sa pitance que la cockatrice cherchait. Cerridwen lui avait décrit le chaudron et l'animal examinait minutieusement le moindre objet du Síd.

Heureusement pour elle, Celtina avait déjà une leuca d'avance sur la sorcière. En effet, après avoir pris possession du chaudron de Dagda, la prêtresse se dirigeait avec confiance vers le tertre qui devait la ramener, par des canaux souterrains, jusqu'à un tumulus des environs de Briga, sur les Côtes de la Mort.

La jeune fille avait vraiment hâte de retrouver Malaen et de reprendre sa route. Elle espérait pouvoir rejoindre bientôt Gildas, un autre des anciens élèves de Mona, qui devait sûrement détenir un vers d'or.

Elle sifflotait gaiement un air que lui avait appris Craftiné le harpiste, lorsqu'elle sentit un déplacement d'air au-dessus d'elle, puis constata un étrange assombrissement du ciel, comme si un nuage noir menaçait sa tête. Ensuite, elle vit une ombre qui projetait sa lugubre silhouette devant elle. Le sifflement de l'adolescente mourut dans sa gorge et elle retint son souffle. Levant lentement les yeux, elle aperçut en premier les plumes jaunes, vertes, rouges et bleues d'une aile gigantesque, puis, tout juste derrière, une longue queue d'écailles verdâtres. Toute gaieté disparut aussitôt. Cette apparition ne lui disait rien de bon.

La cockatrice survola la prêtresse en ne lui portant qu'une vague attention. L'animal était concentré sur la recherche du chaudron de Dagda, comme le lui avait ordonné sa maîtresse, et n'était, pour l'instant, pas le moins du monde intéressé par les êtres vivants.

La créature continua à tracer des cercles dans le ciel pendant de longues minutes, puis, l'objet de sa quête demeurant mystérieusement hors de sa vue, elle s'éloigna dans la direction par où elle était venue en poussant des hurlements déchirants qui glacèrent le sang de Celtina.

La prêtresse hâta le pas. Elle était pressée de se retrouver dans les couloirs magiques qui serpentaient dans le Síd pour se mettre à l'abri de ce monstre étrange et menaçant.

De retour dans les environs de la colline de Clasaigh, la cockatrice se percha sur une souche d'arbre foudroyé, près de Cerridwen qui l'attendait. Voyant le volatile revenir bredouille, la sorcière entra dans une colère noire. Jurant et crachant des imprécations contre les Tribus de Dana, elle virevoltait sur elle-même, ses cheveux noirs drapant son corps d'une cape sombre. Elle tournoyait si fort qu'elle déclencha des mini-tornades qui aspirèrent tout sur leur passage : vaches, cochons, arbres et même pierres dressées.

– Il me faut ce chaudron, c'est impératif ! hurla-t-elle en direction de la cockatrice qu'elle avait pris soin de remettre en laisse pour ne pas être elle-même victime de la méchanceté de sa bête.

– Je n'ai vu aucun chaudron. J'ai survolé tout le territoire. Mon œil perçant a traversé les murs les plus épais du palais de Dagda, sondé les lacs les plus profonds, parcouru les souterrains les plus sombres, couru dans les tertres et les tumulus. Rien.

– Aaaah ! ragea la sorcière. Je suis arrivée trop tard. Le chaudron est déjà hors de vue des Bansidhe et des mortels. Celtina l'a en sa possession. As-tu vu cette prêtresse ?

– Je l'ai vue, confirma le coq-serpent. Elle se hâte vers un passage souterrain…

– Eh bien, que fais-tu encore ici à discuter, sale bête ? l'injuria Cerridwen. Va chercher ce chaudron. Je le veux, il me le faut !

La sorcière détacha la bête qui, une nouvelle fois, monta dans le ciel en soulevant un nuage de poussière. La vélocité* naturelle de la cockatrice lui permit de rejoindre la prêtresse en quelques battements d'aile.

Tout en courant vers l'entrée du souterrain, Celtina continuait de scruter le ciel, la peur au ventre, s'attendant à tout moment à voir le monstre fondre sur elle.

Encore cette colline à contourner et je serai sauvée, songea-t-elle, en allongeant sa foulée pour accélérer sa course.

Mais même en y mettant toutes ses forces, la prêtresse n'était pas de taille à surpasser la cockatrice en vitesse. Une fois encore, ce fut l'assombrissement du ciel au-dessus de sa tête qui l'avertit du retour de la créature, puis le vrombissement des ailes et enfin son cri horrible. Une douleur fulgurante à l'épaule droite projeta la prêtresse au sol, face contre terre.

Elle glissa sa main sur son épaule et constata qu'elle perdait un peu de sang. L'une des griffes de l'horrible bête avait déchiré sa cape et entaillé sa peau. Heureusement, la blessure semblait superficielle. *Il faut que je nettoie vite cette éraflure*, se dit-elle. *Certaines cockatrices ont des ergots empoisonnés.*

De plus, elle ne pouvait rester ainsi, étendue, le dos offert aux serres puissantes de la cockatrice. Celtina mobilisa sa volonté pour se remettre debout.

Sans aide, le combat serait trop inégal, mais la prêtresse répugnait à faire appel au dernier attribut magique que lui avait confié Manannân. Le fils de l'océan lui avait dit que Petite Furie, l'épée enchantée, pourrait l'aider à se sauver, mais si elle l'utilisait, c'en serait fini des armes merveilleuses qu'elle avait obtenues. Et qui sait si, plus tard, elle ne lui aurait pas trouvé une plus grande utilité. Alors, saisissant la makila* que lui avait donnée le druide Banuabios, elle sortit la pointe acérée que dissimulait le casse-tête. Cette arme serait peut-être suffisante pour repousser le monstre.

Elle eut juste le temps de dresser la pique devant elle : la cockatrice revenait à toute vitesse, toutes serres dehors. La créature évita le dard et donna un coup de patte sur la hampe de bois. Sous le choc d'une rudesse qu'elle n'aurait pu imaginer, Celtina faillit lâcher son bâton. Elle pivota sur elle-même pour accompagner le vol du coq-serpent, mais ce dernier la frappa de sa queue écailleuse, lui laissant une zébrure rouge et brûlante sur la joue.

Ce dont la jeune fille se méfiait par-dessus tout, c'était les deux griffes noires qu'elle voyait luire au bout des ailes. Si le monstre l'attaquait avec ses ergots, elle serait déchiquetée. Elle avait eu de la chance qu'il n'ait entaillé que sa cape au premier assaut, et il était rare que la chance passe deux fois de façon si rapprochée.

Par ailleurs, elle veillait constamment à ne pas regarder la bête, même si celle-ci dardait ses yeux sombres sur elle. La renommée de la cockatrice n'était plus à faire. Maève avait enseigné à ses disciples tout ce qu'il fallait savoir sur les animaux fabuleux. L'adolescente se félicita d'avoir été assidue à ce cours de sciences anatomiques, même si, sur le moment, elle avait douté d'avoir jamais à croiser de tels énergumènes.

Elle s'écarta une nouvelle fois de la trajectoire de la cockatrice et planta sa pique directement à la naissance de la queue, dans la partie la plus charnue du monstre. Un hurlement vrilla les tempes de Celtina. Elle était sûre que ce cri allait attirer les Thuatha Dé Danann et comptait sur leur renfort pour se débarrasser de la créature maléfique. Mais Cerridwen avait veillé à dresser une sorte de champ de force autour des deux adversaires, de manière à les isoler. Aucun des bruits qu'ils pouvaient produire en s'affrontant ne s'échappait de cette sphère de protection sonore. La sorcière ne pouvait pas courir le risque de voir Dagda, Mac Oc ou tout autre dieu se porter au secours de la prêtresse.

Pour s'emparer du chaudron, la cockatrice devait absolument se débarrasser de celle qui en avait la garde. En effet, si Celtina perdait ce combat, le chaudron serait de nouveau visible et facilement accessible.

Constatant que personne ne venait à sa rescousse, le moral de la prêtresse décrut et elle sentit la fatigue tétaniser les muscles de son bras. De plus, la douleur de son épaule se fit plus aiguë. Elle eut peur d'avoir le sang empoisonné, mais se refusa à penser à cette éventualité. Sa priorité était de se débarrasser du monstre.

Toutefois, ses coups se firent moins précis et surtout moins marqués. Sa pique ne faisait plus qu'effleurer le volatile fantastique qui semblait jouer avec elle comme une araignée avec une mouche prise dans sa toile, en tournant autour d'elle dans un sens puis dans l'autre, comme pour lui donner le tournis et lui faire perdre l'équilibre.

La cockatrice était rapide; elle réussit, par un habile coup de queue, à emprisonner la prêtresse et à la serrer jusqu'à l'étouffer, comme le font les grands serpents. L'adolescente sentit le souffle lui manquer et le froid de la peur s'insinuer dans son cœur et dans son esprit.

Alors Celtina tenta le tout pour le tout. Mobilisant ses dernières forces, dans un seul mouvement, elle dégagea son bras droit de l'emprise de la bête, pointa sa makila, et asséna un coup de pique dans le plastron* écaillé du coq-serpent. Elle sut qu'elle avait gagné lorsqu'elle vit le sang noir couler du jabot* de la créature.

Blessée, la cockatrice desserra son étreinte et s'enfuit en glapissant de douleur. Celtina s'écroula sur le sol, cherchant à retrouver son souffle. Épuisée, la prêtresse était incapable de poursuivre sa route pour le moment, même si elle savait qu'elle ne trouverait véritablement le salut qu'en entrant dans le souterrain.

Elle s'empressa de soigner ses blessures au bras et au visage en y appliquant des herbes après les avoir mâchouillées, autant pour les humidifier que pour bénéficier de l'effet protecteur de leur sève. Toutefois, elle était rassurée, car si les ergots avaient été empoisonnés, elle n'aurait pu combattre la bête et serait tombée raide morte au bout de quelques secondes. Mais elle ne voulait courir aucun risque de voir ses estafilades s'infecter.

Deux heures plus tard, lorsqu'elle vit Grannus se coucher à l'horizon, elle se remit en marche, en traînant les pieds, complètement vidée de ses forces. Elle s'approchait enfin du tertre qui dissimulait un passage entre l'Autre Monde et le monde des vivants, lorsqu'elle entendit un joyeux sifflement dans son dos.

Oubliant toute méfiance, elle se retourna. Son regard se fixa directement dans les yeux sombres et luisants de malice de la cockatrice. Aussitôt, Celtina se figea : elle avait été changée en pierre.

Sans la présence protectrice de sa gardienne, le chaudron réapparut au cœur de la nuit du Síd. Glissant ses serres puissantes dans les anneaux fixés au talisman magique pour en faciliter le transport, le monstre s'envola avec son butin – que pour sa part, il ne

considérait que comme un vulgaire gobelet –
jusqu'à l'endroit où l'attendait la sorcière
Cerridwen.

Avec la réussite de sa mission, la cockatrice
s'assurait une pitance de qualité. Elle passa sa
langue fourchue entre les deux mandibules de
son bec, salivant à l'avance à l'idée de la
centaine de canetons et de jeunes cygnes dont
son éleveuse allait la régaler pour la féliciter de
son éclatante victoire.

Chapitre 16

Son forfait commis, Cerridwen ne s'attarda pas dans les parages de la résidence de Dagda. Reprenant sa cockatrice en laisse, elle se propulsa dans son propre palais, habilement dissimulé sous le mont Yr Wyddfa, à Cymru. Du sommet de cette montagne, par beau temps, elle avait une vue imprenable sur Ériu, l'île de Bretagne, et même la Calédonie. Cette position stratégique lui permettait de surveiller tout ce qui se passait dans le Síd et dans le monde des Celtes. Rien ne lui échappait.

Se sentant en sécurité, maintenant qu'elle était en possession du chaudron magique de Dagda, elle entreprit la tâche pour laquelle elle avait habilement manigancé son vol.

Elle déposa le chaudron sur un gros feu, le remplit d'eau pure, résultat de nombreuses nuits de pleine lune passées au sommet du mont pour y récolter la première rosée du nouveau cycle lunaire, et y jeta les plantes, les racines et les herbes prescrites pour réaliser sa décoction.

Magicienne émérite, Cerridwen n'avait pas omis le plus petit détail et chaque ingrédient avait été récolté avec précaution, pesé et ajusté au grain près. Elle ne voulait faire courir aucun risque à son fils adoré. Grâce au chaudron d'inspiration et de science, Afagddu connaîtrait bientôt les mystères de toutes choses et les secrets de l'avenir. Cette science lui assurerait une place de choix dans le monde des Bansidhe.

Une fois que la préparation commença à bouillir, elle convoqua deux serviteurs pour leur confier la surveillance, nuit et jour, du chaudron. Cerridwen devait absolument s'approprier les trois premières gouttes du précieux liquide qui jailliraient du chaudron, car elles seules étaient chargées de l'inspiration divine qui illumine l'âme, mère de toutes les connaissances et de tous les dons. Grâce à elles, son fils n'aurait plus jamais à rougir de sa laideur, puisqu'il serait désormais doté de la beauté de l'âme, la plus importante des qualités.

Seulement, cette ébullition merveilleuse devait s'étaler sur plusieurs nuits. Cerridwen devait s'assurer d'alimenter le chaudron en plantes, en herbes et en racines magiques à heures fixes, selon le calendrier lunaire. Elle ne pouvait donc être à la fois à côté du chaudron et en train de ramasser les simples nécessaires à alimenter sa mixture. Il lui fallait de l'aide.

Celui qui surveillerait le chaudron durant la nuit était un vieillard aveugle du nom de

Mordra, qui la servait avec loyauté depuis de nombreuses années. Pour la surveillance de jour, elle avait choisi Gwion-Bach, un nain qu'elle formait à son service pour remplacer Mordra lorsque ce dernier mourrait.

Les deux serviteurs devaient veiller à ce que le liquide ne déborde pas du chaudron et surtout la prévenir lorsque les trois premières gouttes seraient prêtes à en jaillir pour qu'elle puisse les recueillir pour son fils.

Le temps requis pour la réussite de l'opération s'écoula sans problème particulier, et il ne restait plus qu'un cycle de nuit et de jour avant que la sorcière puisse enfin voir ses efforts récompensés. Cerridwen, comme chaque nuit, se rendit sur le mont Yr Wyddfa pour y récolter les précieux ingrédients.

Toutefois, ce soir-là, Mordra, fatigué de cette veille exténuante pour un vieillard, clignait de plus en plus des paupières et était sur le point de s'endormir. Gwion-Bach, réveillé en sursaut par on ne sait quel bruit, vit la tête de l'aveugle dodeliner sur ses épaules et ses yeux laiteux se clore. Il bondit sur ses pieds et secoua le vieil homme.

– Mordra… que t'arrive-t-il ? Tu t'endors ?

Le vieillard, épuisé, sursauta.

– Que se passe-t-il ? Pourquoi me brusques-tu ainsi ?

Il massa son bras endolori par le coup que lui avait asséné le nain.

La discussion dégénéra rapidement en dispute entre Mordra et Gwion-Bach. Tant et si bien que ni l'un ni l'autre ne prit garde à ce qui se déroulait dans le chaudron. La potion s'était mise à gonfler et à faire d'épaisses bulles, puis, comme de la lave qui pouffe à la surface d'un volcan, le chaudron cracha des jets de vapeur brûlante.

Enfin alerté par l'éclatement des bulles, Gwion-Bach s'empara de l'immense cuillère de bois avec laquelle il fallait tourner nuit après nuit, jour après jour, le bouillon surnaturel. Mais il était trop tard. Trois gouttes sautèrent hors du chaudron et lui brûlèrent l'index droit.

Sous l'emprise d'une douleur fulgurante, d'instinct, le nain porta le doigt à sa bouche, et là, il sentit comme une vague de chaleur le traverser de part en part. Une puissante lumière blanche éclata dans sa tête. Et alors, il sut. Investi d'une intuition hors du commun, il comprit aussitôt que la colère de Cerridwen serait terrible lorsqu'elle constaterait la perte des gouttes magiques. Elle pourrait même le jeter en pâture à ses cockatrices. Sa seule chance de salut était la fuite, mais il n'en eut pas le temps.

– Voilà Cerridwen qui revient! lança-t-il à Mordra qui ne s'était rendu compte de rien, puisqu'il était aveugle. Continue de tourner la mixture, pendant que moi, je me recouche.

Il espérait tromper la sorcière, mais maintenant, grâce à son savoir nouvellement acquis, il comprenait aussi que le chaudron ne contenait plus qu'une décoction empoisonnée, car les trois gouttes magiques étaient tombées sur son doigt. Il espérait quand même pouvoir donner le change assez longtemps pour trouver un moyen de fuir loin d'Yr Wyddfa.

Malheureusement pour lui, Cerridwen n'était pas tombée de la dernière pluie. Elle était revenue plus tôt que d'habitude justement parce qu'elle avait pressenti qu'il se passait des événements anormaux. Et elle était furieuse.

Armée d'un bâton de bois, elle se précipita sur le pauvre Mordra et le roua de coups, jusqu'à ce que ses yeux aveugles explosent dans leurs orbites.

Hurlant de douleur, le vieil homme laissa éclater son désespoir.

– Tu m'as défiguré sans raison. Je suis innocent, se lamenta-t-il.

– C'est vrai. Je sais que c'est Gwion-Bach le coupable ! lui accorda Cerridwen.

Sans plus s'occuper de son loyal serviteur à l'agonie, la sorcière se dirigea vers l'endroit où le nain simulait le sommeil et se précipita sur lui, en hurlant sa haine.

Mais désormais doté de pouvoirs magiques, le serviteur prit ses jambes à son cou en se métamorphosant en lièvre et en bondissant hors de sa couche. Il comptait sur ses longues pattes postérieures pour se propulser le plus loin possible de la mégère qui voulait sa peau.

Les lièvres n'étant pas habitués à fréquenter les profondeurs de la terre, car ils ne vivent normalement pas dans des terriers, Gwion-Bach jugea préférable de sortir du Síd pour tenter de se réfugier à l'air libre, dans les vallées encaissées ou les gorges profondes de la montagne.

Comme il était difficile d'attraper un lapin sauvage, Cerridwen dut, elle aussi, recourir à la métamorphose, et se changea en lévrier. Ce chien de chasse était particulièrement bien adapté à la course, grâce à son corps mince, effilé, son crâne étroit et son museau long et pointu. C'était un redoutable chasseur de lièvres.

Les crocs du chien allaient se refermer sur ses longues oreilles de lièvre, lorsque Gwion-Bach, toujours averti par son sixième sens, sauta dans le lac Lyn-Uchaf et se transforma en poisson.

Cerridwen plongea à son tour dans les eaux cristallines, en prenant soin de se changer en loutre. Elle poursuivit sa proie sous les eaux. Agile et rapide, elle réussit à se saisir de lui. Mais la loutre est un mammifère enjoué qui aime s'amuser avec ses proies, ce qui lui vaut son surnom armoricain de *kadour* ou «chat d'eau»; elle lança donc le poisson dans les airs plusieurs fois, le laissant s'échapper avant de le rattraper, comme un chat le fait avec une souris.

La quatrième fois que la loutre lança le poisson en l'air, Gwion-Bach en profita pour se métamorphoser en friquet* et s'envoler bien haut, loin des pattes palmées.

De rage, Cerridwen jaillit des flots sous la forme d'un épervier et fondit sur le petit oiseau à la vivacité surprenante. Constatant que ce redoutable rapace ne lui laisserait aucune chance, le friquet se laissa tomber comme une pierre sur une aire de battage de blés que des mortels étaient en train de récolter. Gwion-Bach se changea aussitôt en grain de blé, se mêlant aux milliers d'autres grains qui étaient mis à sécher sur des nattes de paille.

Mais Cerridwen ne s'avoua pas vaincue pour autant. Elle prit l'apparence d'une poule noire et entreprit de gratter et d'éparpiller le blé.

Après plusieurs heures de dur labeur, elle repéra un grain de blé un peu plus blond que les autres et l'avala tout rond.

À peine le grain avalé, elle se sut enceinte, car c'était bien Gwion-Bach qu'elle avait gobé. Aussitôt, elle décida de cacher son état à Tegid-le-Chauve qui ne manquerait sûrement pas de lui poser des questions embarrassantes. De toute façon, le géant était parti donner un coup de main au prince des Bansidhe, pour construire le nouveau palais qu'Ethal Anbual voulait offrir à sa fille Caer et à Mac Oc pour célébrer la naissance de Diairmaid, son premier petit-fils.

Quelques jours plus tard – n'oublions pas que le temps est différent dans le Síd –, Cerridwen donna naissance à un superbe garçon blond, au visage d'une beauté parfaite. Elle ne put se résoudre à le mettre à mort, mais il était hors de question qu'elle le garde. Elle l'enveloppa alors dans un linge et le déposa sur un couffin de roseaux tressés qu'elle fit glisser dans la mer.

L'enfant fut ballotté par les flots, mais jamais il ne poussa un cri ou ne pleura. Après un périple de plusieurs nuits et de plusieurs jours, il fut rejeté sur une plage de l'île d'Unst, dans le royaume d'Yspaddaden le géant.

Le hasard voulut que ce soit Elfin* qui l'attrapât dans sa nasse. Comme d'habitude, le pêcheur malchanceux n'avait pas capturé un seul poisson, mais cette fois-ci, il découvrit le couffin de roseaux et, dans le panier, un enfant emmailloté qui avait déjà la connaissance de toutes choses et savait même parler alors qu'il n'était encore qu'un bébé.

Elfin demanda à l'enfant s'il était une selkie. Ayant déjà fait l'expérience de pêcher une femme-phoque, il ne tenait pas à renouveler une épreuve qui l'avait laissé encore plus malheureux qu'avant de remonter ce genre de créature dans son filet, car sa femme Roann, qui était une selkie, ne pouvait lui rendre visite que toutes les deux lunes.

Le bébé se mit alors à chanter d'une voix pure, comme seuls savent le faire les plus grands bardes* de Celtie. Et il raconta comment il avait acquis la connaissance des choses de ce monde.

Impressionné par autant de science, de connaissances et de talents, Elfin lui donna le nom de Taliesin, ce qui signifie « le front brillant ».

– Je suis seul depuis une lune et je m'ennuie, confia-t-il au bébé. Je vais donc te garder et t'élever de mon mieux.

Plusieurs semaines s'écoulèrent. Mais puisqu'il était né d'une mère sorcière, Taliesin ne se montra pas un enfant normal. Il parvint rapidement à l'âge adulte. De plus, ses connaissances et sa science de la divination et de la prédiction ne cessaient d'impressionner son père nourricier.

Puis, un jour, un messager débarqua chez Elfin.

– Tu es convié à passer quelque temps chez ton oncle ! lui annonça le cavalier.

Maelgwin, l'oncle d'Elfin, était un noble de Cymru. Le jeune pêcheur fut très honoré de cette invitation et s'y rendit d'autant plus rapidement qu'il s'ennuyait chez lui.

Il savait que, comme toujours lors de ces rencontres familiales, la fête durerait de nombreuses nuits et tout autant de jours, ce qui lui permettrait de vivre plus facilement les longues heures qui le séparaient du retour de Roann, sa femme-phoque.

Chaque soir, autour d'un feu de camp, les bardes de Maelgwin ne cessaient de vanter le courage et les exploits du noble guerrier, comme c'était la coutume. Elfin écoutait les chants d'une oreille amusée, sachant qu'il ne devait pas tout croire sur parole, car les prouesses des combattants étaient nettement enjolivées.

Le temps passant, et comme c'est toujours le cas lors de ces rencontres, la discussion finit par s'enflammer. L'un des guerriers demanda s'il existait quelque part sur Terre un être doté de dons spirituels aussi exaltés que Maelgwin, lui qui avait aussi la beauté, la noblesse, la force, sans compter la perfection de son âme. Il avait aussi une épouse fidèle, dont la conduite et la sagesse étaient vantées dans de multiples chansons.

Les invités se mirent aussi en tête de déterminer qui avait les meilleurs combattants, les chevaux les plus rapides, les chiens les plus véloces, et surtout les bardes les plus compétents. Ceux de Maelgwin étaient réputés dans toute la Celtie.

De fait, ce poste était toujours attribué aux hommes les plus instruits en généalogie et dans la connaissance des hauts faits des rois et des nobles, aussi bien étrangers que locaux. De plus, pour prétendre à ce titre, il fallait connaître plusieurs langues, aussi bien le celte que ses nombreux dialectes, le latin que le grec et d'autres idiomes*; il fallait être historien, poète et savoir composer en vers dans chacune de ces langues. Et de tous les bardes connus en Celtie, Heinin, qui était celui de Maelgwin, était sûrement le meilleur.

Ce soir-là, Elfin, repu de nourriture riche et de boisson qu'on lui versait à volonté, finit par en avoir assez de toutes ces vantardises.

– Je connais un barde encore plus talentueux que le tien, lança-t-il, la tête lourde et les jambes molles, à son oncle qui lui resservait un peu d'hydromel.

Maelgwin ne dit rien, mais le regarda de travers, tout en continuant à écouter les chants qui vantaient ses exploits.

– Et ma femme est la plus fidèle de toutes les épouses, poursuivit Elfin.

À ces mots, Maelgwin vit rouge, car cela pouvait laisser croire que sa propre femme n'était pas aussi fidèle que les bardes voulaient bien le chanter. Il ordonna qu'on jette Elfin en prison, tant qu'il ne pourrait pas prouver la loyauté de son épouse et la science de son druide.

Emmené dans les caves de la forteresse, les pieds dans les fers, le pauvre Elfin, ayant retrouvé ses esprits, se maudissait d'avoir eu la langue trop bien pendue.

Pendant que le pauvre pêcheur se languissait dans sa geôle, Maelgwin avait envoyé à Unst son fils Rhun, l'homme le plus beau, mais aussi le plus grand séducteur que la Celtie ait connu. Il lui avait demandé de séduire cette Roann dont Elfin n'avait cessé de vanter la bonne conduite. Maelgwin savait que personne ne pouvait résister au charme dévastateur de Rhun et il se réjouissait d'avance d'humilier son fanfaron de neveu.

Chapitre 17

Rhun se hâta d'arriver à la maison d'Elfin avec la ferme intention de séduire Roann. Il faut préciser que depuis que la famille de la selkie s'était mise au service d'Elfin en pêchant pour lui, le pêcheur malchanceux ne portait plus très bien son surnom puisqu'il s'était considérablement enrichi et qu'il possédait désormais une très belle résidence en bord de mer et de nombreux serviteurs.

Taliesin, qui avait la vision des choses à venir, était resté chez son père nourricier pendant l'absence de ce dernier. Il pressentit la venue de Rhun et se hâta de convoquer la femme-phoque pour la prévenir des intentions du fils de Maelgwin.

– Je vais demeurer dans la mer, auprès de ma famille de phoques, déclara la selkie qui nageait entre deux eaux, dans une crique devant la maison d'Elfin. S'il ne me trouve pas, Rhun repartira chez lui.

– Ce n'est pas une bonne idée ! la détrompa le jeune barde. Maelgwin pourrait prendre le prétexte de ton absence pour dire qu'Elfin ment, qu'il n'a pas d'épouse et le faire mettre à mort.

– Qu'allons-nous faire, alors? s'inquiéta Roann. Rhun peut utiliser mille et un subterfuges et même la magie pour me séduire…

– Je te suggère de te déguiser en servante et nous allons revêtir une de tes servantes de tes propres vêtements, répondit Taliesin qui avait plus d'un tour dans son sac à malices.

Roann accepta le plan de Taliesin. Elle se délesta de sa peau de phoque et redevint femme. Puis elle se dépêcha de donner sa plus belle robe et même ses plus beaux bijoux à Mathez, sa servante, qui affichait une vague ressemblance avec elle, du moins par la taille et la sveltesse.

– Maintenant, il faut que la servante prenne ta place à table et que tu la serves comme si elle était la maîtresse des lieux.

Le barde savait que Rhun allait bientôt arriver chez Elfin; il leur fallait faire vite. Roann s'empressa d'exaucer le désir de Taliesin qui s'installa lui aussi à table pour prendre le repas.

Taliesin et Mathez étaient en train de faire semblant de discuter de tout et de rien comme des amis de longue date, lorsque Rhun pénétra dans la salle sans s'être fait annoncer, comme l'aurait voulu la politesse. Mais ni Taliesin ni la femme ne firent de commentaires sur son intrusion. Au contraire, le visiteur fut accueilli chaleureusement et invité à se joindre à la tablée.

Aussitôt Rhun commença son petit manège de séduction, glissant des sous-entendus ici et là dans la conversation, cherchant à frôler la main de son hôtesse. Mais Mathez gardait ses distances, comme l'aurait fait sa maîtresse.

Rhun, furieux de voir qu'il n'arrivait à rien, profita de ce qu'il crut être un instant de distraction de Taliesin et de la servante pour glisser une poudre magique dans la boisson de celle qu'il prenait pour la femme d'Elfin. Évidemment, Roann, Taliesin et Mathez avaient feint de ne rien voir.

Après avoir bu tout son gobelet, Mathez se mit à bâiller à s'en décrocher la mâchoire. La poudre commençait à faire effet et elle se sentait tomber de sommeil. Elle alla se mettre au lit, celui de sa maîtresse bien entendu, pour tromper Rhun, et s'endormit.

De son côté, Roann, jouant toujours son rôle de servante, conduisit le fils de Maelgwin dans la chambre qu'elle réservait aux invités de marque. Puis, en compagnie de Taliesin, elle s'en alla vers les rochers au bord de la mer, non loin de sa maison. En chemin, le barde lui raconta comment Elfin avait été emprisonné à cause d'eux, mais il lui promit d'aller chez Maelgwin et de faire libérer celui qui l'avait recueilli.

Ainsi rassurée, la selkie revêtit sa peau de phoque gris et retourna parmi les siens, non sans avoir demandé auparavant au barde de prévenir Elfin que tout allait bien et qu'elle reviendrait comme convenu deux lunes plus tard.

Pendant ce temps, Rhun, croyant profiter du sommeil des habitants des lieux, se faufila dans la chambre d'Elfin, où il trouva Mathez endormie. La poudre était si efficace que la servante ne sentit pas qu'on lui coupait le petit doigt auquel elle portait une superbe bague offerte par Elfin à son épouse.

Puis le fourbe Rhun s'allongea près de Mathez et passa la nuit avec elle. Le lendemain matin, fier de lui, il regagna rapidement le palais de Maelgwin pour se vanter de son exploit. Et en guise de preuve de ce qu'il avançait, il montra le petit doigt portant la bague qu'il avait coupé.

Maelgwin, trop heureux d'humilier Elfin devant tout le monde, le fit tirer de sa prison et convoqua ses guerriers et ses druides.

– Elfin, déclara-t-il, apprends que c'est pure folie de faire confiance à qui que ce soit, même à son épouse. Ta femme a renié son serment de fidélité la nuit dernière. Pour preuve, voici le doigt et la bague que Rhun a ramenés de ta maison. Ni toi ni elle ne pourrez nier les faits.

En reconnaissant l'anneau, Elfin eut un frisson, mais il se reprit :

– Maelgwin ! Je ne peux le nier, il s'agit bien de l'anneau que j'ai offert à Roann. Cependant, je jure que ce doigt n'est pas le sien.

– Comment ? Tu oses me traiter de menteur ? s'emporta Maelgwin.

– Pas du tout, tenta de l'apaiser Elfin. Je dis simplement que celui qui t'a ramené ce doigt a voulu te tromper. Ma femme est dotée d'une particularité que tu sembles ignorer… elle a des mains palmées ! La façon dont ce petit doigt a été coupé montre bien que celle à qui il appartient avait des doigts normaux.

En entendant cette démonstration des faits, Maelgwin fut encore plus irrité contre Elfin. Il ne supportait pas qu'on le contredise.

– Qu'on le ramène en prison ! hurla-t-il à ses gardes. Tant qu'il n'aura pas prouvé que son barde est le meilleur de tous, il n'en sortira pas.

Entre-temps, Taliesin était arrivé dans la grande salle où Maelgwin avait invité de nombreux amis pour partager son repas. Dès qu'il mit le pied dans la place, il sut exactement où il allait s'asseoir. Il avait repéré un endroit à l'écart, non loin de l'endroit où les bardes et les amuseurs allaient se produire pour divertir les invités.

Il n'eut pas longtemps à attendre. Il vit arriver Maelgwin et ses guerriers dans leurs habits d'apparat. Puis vint ensuite Heinin, qui conduisait les bardes et les druides. S'étant recroquevillé derrière un ballot de paille, Taliesin demeura invisible lorsque la petite troupe passa près de lui.

Taliesin plaça alors son doigt sur ses lèvres et se mit à faire des «bleug-bleug» comme le font les bébés naissants. Personne n'y prêta attention. Les bardes continuèrent de s'avancer vers l'endroit qui leur était réservé, d'où ils devaient chanter les louanges et les prouesses de Maelgwin et de ses guerriers. Ils s'inclinèrent pour lui rendre hommage et finalement entonnèrent leurs éloges, mais leurs lèvres ne laissèrent passer aucun mot. Seuls des «bleug-bleug» et d'autres sons maladroits peuplèrent le silence étonné des convives.

– Heinin! hurla Maelgwin, quelque peu gêné du spectacle que donnaient ses druides et ses bardes devant ses invités. Vous avez bu trop d'hydromel ou de cervoise. Reprenez vos esprits et respectez le lieu où vous vous trouvez et les gens qui vous écoutent.

Mais il n'y avait rien à faire. Lorsque Heinin tenta de prendre la parole, les mêmes sons grossiers franchirent ses lèvres.

Furieux, Maelgwin s'empara d'un plat de bronze et l'asséna sur la tête de son principal barde, si bien que ce dernier s'écroula sur le sol. L'agression eut au moins le mérite de lui faire recouvrer la parole.

– Maître, balbutia-t-il. Cette défaillance ne peut être due qu'à un esprit malin. Notre savoir et notre habileté ne sont pas en cause.

Heinin jeta un regard suspicieux tout autour de lui, épiant chaque visage, et finit par découvrir un jeune homme recroquevillé derrière une botte de paille. Le barde de Maelgwin le désigna du doigt.

– C'est à cause de lui que tout ça nous arrive!

– Amenez-moi ce garçon, lança Maelgwin.

Un serviteur s'empressa d'obéir.

– Qui es-tu? D'où viens-tu? l'interrogea le maître de maison. Comment t'appelles-tu?

– Je suis le barde d'Elfin, je viens du pays des Bansidhe. Je me nomme Taliesin.

– Dis-m'en plus sur le pays des Bansidhe, poursuivit Maelgwin, intrigué.

Taliesin lui raconta alors le secret de sa naissance. Comment de Gwion-Bach le nain, il était devenu le meilleur barde de Celtie.

Le récit plut beaucoup à l'oncle d'Elfin, mais aussitôt Taliesin enchaîna en donnant la raison de sa présence dans les lieux. Il le fit par le biais d'un poème*, ce qui déstabilisa Maelgwin.

Je suis en train de concourir dans l'enclos des bardes
Peut-être je pourrai garder la face

Je dirai une prophétie à ceux qui m'écouteront
Je cherche l'objet perdu qu'il faut retrouver
Elfin, qu'il faut tirer à sa punition
Mon seigneur va se libérer des entraves et des chaînes
Il ne mérite ni lance, ni pierre, ni anneau
Il ne doit y avoir autour de moi aucun barde qui ne le connaisse
Elfin, à cause de sa façon de parler
Est sous treize verrous pour avoir donné son avis
Moi, je suis Taliesin, le premier des bardes
Je délivrerai Elfin de ses entraves dorées

Taliesin ne laissa pas le temps aux bardes de Maelgwin de rivaliser de paroles avec lui. Il enchaîna avec d'autres poèmes qui déclenchèrent des vents de tempêtes, à tel point que Maelgwin et sa cour crurent que la résidence allait s'envoler.

Ébranlé par cette tornade déclenchée par de simples mots, l'oncle fit sortir son neveu de sa prison. Lorsque Elfin se présenta devant Taliesin avec ses chaînes aux pieds, de nouveau le barde chanta un poème et les entraves tombèrent en poussière sur le sol.

Non content de ses exploits, il continua sa litanie en récitant plusieurs poèmes qui interpellaient les autres bardes sur leur savoir-faire, en plus de soulever des questions sur leur arrogance et leurs mauvaises habitudes de vie, pour finir par les menacer des pires tourments.

Il avait si habilement su déceler les travers des uns et des autres que pas un barde n'osa plus prononcer un mot, de crainte d'être pris directement à partie et surtout que Taliesin expose ses vices particuliers.

Lorsqu'il fut convaincu d'avoir réduit tout le monde au silence, il se pencha à l'oreille d'Elfin et murmura:

– Maintenant, tu vas défier Maelgwin sur la vitesse de ses chevaux.

– Mais… je n'ai pas de cheval, s'inquiéta le pêcheur.

– Ne discute pas. Fais ce que je te dis.

Elfin se plia à la volonté de son barde. Il fut donc conclu que Maelgwin amènerait ses vingt-quatre meilleurs coursiers dans un lieu connu sous le nom de «marais des Filles».

La rencontre eut lieu quelques jours plus tard. Comme prévu, l'oncle avait choisi ses plus vaillants chevaux. Pour sa part, Taliesin arriva avec vingt-quatre branches de houx noircies au feu, un seul cheval et un adolescent pour le monter.

– Prends ces baguettes, conseilla-t-il à l'écuyer. Ensuite, laisse passer tous les chevaux de Maelgwin devant toi. Quand ce sera fait, donne un coup avec l'une des baguettes sur l'arrière-train du cheval qui te précède, puis laisse tomber la branche par terre, et tu pourras le dépasser sans forcer ta monture. Répète le même stratagème pour chaque cheval. Lorsque le dernier cheval sera dépassé, ta monture va broncher. Remarque bien l'endroit où cela se passera et jette ce morceau de saie sur l'endroit précis pour qu'on puisse le retrouver. Tu m'as bien compris ?

– Parfaitement, fit l'écuyer en montant sur son cheval.

L'adolescent exécuta exactement les instructions de Taliesin, et son cheval gagna la course.

Taliesin emmena ensuite Elfin à l'endroit où le cheval avait bronché et où le jeune homme avait laissé tomber son carré de tissu.

– Il me faut de vaillants ouvriers, lança-t-il aux spectateurs qui avaient assisté à la course.

Plusieurs guerriers et artisans vinrent le rejoindre, en se demandant bien quelle serait leur utilité.

– Creusez un trou, exactement à l'endroit indiqué, leur dit-il.

Les hommes obtempérèrent, sous le regard intrigué de Maelgwin et de ses invités. Ils creusèrent assez longtemps, jusqu'à ce que l'un d'eux signale avoir touché quelque chose.

– Mais… mais c'est un chaudron ! s'étonna l'homme, en dégageant le récipient.

Ses cris redoublèrent lorsqu'il découvrit le contenu du récipient. Il était rempli d'or.

En effet, grâce à ses pouvoirs magiques, Taliesin avait pu tirer le chaudron d'abondance de Dagda des profondeurs du Síd, le subtilisant pour toujours à Cerridwen, afin de faire bénéficier son bienfaiteur de ses largesses.

– Voilà Elfin, c'est pour toi! dit-il en montrant l'or. C'est la récompense que tu mérites pour m'avoir sauvé.

Les hommes qui avaient creusé le trou vidèrent le chaudron aux pieds du pêcheur qui, comme tous ceux qui assistaient à la scène, n'en croyait pas ses yeux. Désormais, Elfin était à la tête d'une fortune considérable, encore plus grande que celle de son oncle Maelgwin. Cette richesse lui permettrait d'acheter des terres et de se constituer un domaine qui rivaliserait en grandeur et en fertilité avec les autres propriétés des nobles de l'île de Bretagne.

– Remettez maintenant ce chaudron dans le trou, ordonna Taliesin.

Puis il chanta une incantation. Aussitôt, le trou se remplit d'eau, dissimulant le précieux talisman, jusqu'à former un étang qui porterait désormais le nom d'Y Pyllbair, le Trou du Chaudron, dans le dialecte celte de Cymru.

Reparti dans l'Autre Monde, le chaudron d'abondance et d'immortalité n'était désormais plus accessible ni aux Tribus de Dana, ni aux Bansidhe et encore moins aux mortels. Seule l'Élue pourrait le récupérer. Mais pour le moment, Celtina n'était pas dans la position de faire quoi que ce soit, puisque le regard terrible de la cockatrice l'avait transformée en pierre.

Maelgwin interpella Taliesin.

– Je reconnais ta supériorité sur tous les bardes de ce pays. Mais j'aimerais bien connaître une seule chose. Peux-tu me dire ce qu'il adviendra du monde dans l'avenir ?

En réponse à la question, le barde pro-phétisa en décrivant, par des poèmes et des métaphores, des paraboles et des sentences, le destin qui attendait les Celtes au cours des siècles à venir.

Lexique

Chapitre 1
Auspices (toujours au pluriel) : présage, signe, influence

Foire d'empoigne (une) : une mêlée, un affrontement

Mort de Donn et d'Airech : voir tome 5, *Les Fils de Milé*

Chapitre 2
Aratoire (adj.) : qui a rapport au labourage de la terre

Coutre (un) : lame de fer tranchante qui fait partie de la charrue et qui fend la terre avant que le soc ne la retourne

Nigritelle noire : petite orchidée à fleur noire qui émet un parfum de vanille

Soc (un) : arête tranchante de la charrue qui coupe la terre horizontalement pour la retourner

Chapitre 3
Ard Rí : Haut-Roi (roi suprême) des Gaëls

Askol (un) : mot breton pour désigner le chardon

Escarbille (une) : fragment de charbon à moitié brûlé

Chapitre 4

Estafilade (une) : entaille faite avec une arme tranchante

Gabalaccos (un) : nom gaulois du javelot celtique

Langkias (une) : nom de la lance gauloise qui peut être tenue à la main ou lancée

Ponto (un) (pl. : pontonis) : bateau de transport à fond plat

Rade (une) : bassin naturel où les bateaux peuvent mouiller

Umbo (un) : partie centrale en relief sur un bouclier

Chapitre 5

Énée : fils d'un mortel et d'une déesse, il est le fondateur mythique d'un royaume à l'origine de Rome. La famille de Jules César prétendait descendre de Iule, fils d'Énée.

La lance de Lug : voir tome 4, *La Lance de Lug*

Vestale (une) : jeune vierge romaine vouée à entretenir le feu dans le temple de Vesta

Chapitre 6

Renégat (un) : personne qui a renié, trahi, son peuple

Chapitre 7

Boisseau (un) : unité de mesure d'environ dix litres

Hallier (un) : fourré épais où se cache le gibier

Palustre (adj.) : bâti dans des marais

CHAPITRE 8
Diaphragme (un) : muscle qui sépare le thorax de l'abdomen
Frondaison (une) : feuillage
Sous le joug : sous la domination, sous la contrainte
Métaphore (une) : une comparaison, une image
Votive (adj.) : offert en gage de vœu

CHAPITRE 9
Sommeil hypnotique de Celtina : voir tome 1, *La Terre des Promesses*

CHAPITRE 10
Bansidh (pl. : Bansidhe) : mot irlandais pour désigner les fées
Enfants de Lyr (les) : voir tome 1, *La Terre des Promesses*
Nuada : voir tome 3, *L'Épée de Nuada*

CHAPITRE 11
Déconfiture (une) : une défaite morale
Enfants de Lyr (les) : voir tome 1, *La Terre des Promesses*
Fedh fiada : voile magique d'invisibilité des Thuatha Dé Danann
Roselière : lieu planté de roseaux

CHAPITRE 12
Ciabhan : voir tome 4, *La Lance de Lug*
Circonvolution (une) : détour de langage
Losgann : nom gaélique de la grenouille

Chapitre 13
Agapes (toujours au pluriel) : un festin
Phalère : disque de bronze, pièce de harnachement des chevaux
Plante charnue : aloe vera

Chapitre 14
Calédonie : voir tome 2, *Les Treize Trésors de Celtie*
Matriarcal (adj.) : qui se transmet par les femmes

Chapitre 15
Consensus (un) : accord unanime
Jabot (un) : poche de l'œsophage des oiseaux
Makila (une) : voir tome 5, *Les Fils de Milé*
Nymphe (une) : déesse au corps gracieux
Plastron (un) : pièce d'écailles protégeant la poitrine
Vélocité (une) : aptitude à aller vite

Chapitre 16
Barde (un) : druide spécialisé dans le chant et le conte des épopées et prouesses celtiques
Elfin, le pêcheur malheureux : voir tome 2, *Les Treize Trésors de Celtie*
Friquet (un) : oiseau plus petit qu'un moineau, avec une tête marron et une virgule noire sur ses joues blanches
Idiome : langue propre à une région

CHAPITRE 17

Poème de Taliesin : adapté de Pierre-Yves Lambert, *Les Quatre Branches du Mabinogi*, l'Aube des peuples, Gallimard, 1993

LES THUATHA DÉ DANANN
(LES TRIBUS DE DANA)

Airmed : la déesse-médecin, fille de Diancecht
Andrasta : la déesse de la Révolte
Boann : l'épouse de Dagda
Brigit : la fille de Dagda, la sœur de Mac Oc, la déesse des Arts et de la Magie
Ceraint : le dieu brasseur de bière
Cliodhna : la déesse de la Beauté
Curcog : la fille de Manannân, élevée par Mac Oc
Dagda : le Dieu Bon, le père suprême
Diancecht : le dieu-médecin
Eithné : la fille de Roc, l'intendant de Mac Oc
Fintan : le vieux sage, le premier druide
Flesc : le benjamin des échansons de Nechtan
Goibniu : le dieu-forgeron
Gwydion : le dieu de la Sagesse
Lam : l'aîné des échansons de Nechtan
Luam : le cadet des échansons de Nechtan
Luchta : le dieu-charpentier
Lug : le dieu de la Lumière
Mac Oc : le Fils jeune de Dagda, le Jeune Soleil, maître du temps et de la jeunesse
Manannân : le fils de l'océan
Nechtan : le possesseur de la Source secrète
Octriuil : le dieu-médecin, le fils de Diancecht

Ogme: le dieu de l'Éloquence
Roc: l'intendant de Mac Oc dans la Brug na Boyne
Sucellos: le dieu protecteur
Taranis: le dieu du Ciel, de l'Orage et du Tonnerre

LES GAËLS (LES FILS DE MILÉ)

Aillil: un roi gaël du Connachta
Amorgen: le druide, un fils de Mil
Bilé: le fils de Breogán, le frère de Fuad et d'Ith
Colphta l'orgueilleux: le druide, un fils de Mil, frère d'Érémon et demi-frère d'Amorgen et d'Éber
Diairmaid: le fils de Mac Oc et de Caer, la Bansidh
Eadan: le chef de guerre d'Éber, co-régent du Connachta avec Un
Éber: le fils de Mil, demi-frère d'Érémon et d'Amorgen, roi d'Ériu du Sud
Emhear: le fils d'Ir, régent d'Ulaidh
Érémon: le fils de Mil, roi d'Ériu du Nord, puis Ard Rí (Haut-Roi) des Gaëls
Fils d'Éber: les co-régents de Mhumhain (Munster)
Fuad: le fils de Breogán, le frère de Bilé et d'Ith
Gosten: le capitaine d'Érémon
Laighne: un des fils jumeaux d'Érémon
Liffe: le cheval d'Érémon
Luighne: un des fils jumeaux d'Érémon
Mebd: une reine gaëlle du Connachta
Muimhne: le fils d'Érémon
Sciathbel: le Domnonéen (Fir-Bolg), régent du Laighean (Leister)
Un: le capitaine des armées d'Éber, co-régent du Connachta avec Eadan

LES BANSIDHE

Afagddu dit Castor noir : le troisième fils de Cerridwen

Caer : la fille d'Ethal Anbual et l'épouse de Mac Oc

Cerridwen : la sorcière des Bansidhe

Creirwy dite Pur Joyau : la fille de Cerridwen

Ethal Anbual : le prince des Bansidhe du lac des Gueules de Dragons

Morfrân dit Corbeau de mer : l'aîné des enfants de Cerridwen

Tegid-le-Chauve : un géant, l'époux de Cerridwen

LES ARTABROS (LES FILS DE MILÉ)

Airech : le second fils de Mil

Breogán : le roi de Kallaikoi

Donn : le commandant de la marine des Fils de Milé, l'aîné des enfants de Mil

Éranann : un apprenti druide, ancien élève de Mona, le plus jeune fils de Mil

Ith : le fils de Breogán

Mil : l'ancêtre des Fils de Milé, le petit-fils de Breogán

Odhaba : la première épouse d'Érémon, la mère de Laighne, Luighne et Muimhne

HÉROS GREC ET ROMAIN

Énée : un prince troyen, fils du mortel Anchise et de la déesse Aphrodite

DIEUX ROMAINS

Apollon : le dieu du Soleil, de la Musique et de la Poésie

Diane : la déesse de la Lune et de la Chasse

Janus : le dieu de la Paix, des Portes et des Commencements

Junon : la reine des Dieux et du Ciel

Jupiter : le roi des Dieux, du Ciel et de la Foudre

Mars : le dieu de la Guerre

Minerve : la déesse de la Sagesse

Neptune : le dieu de la Mer

Vénus : la déesse de l'Amour et des Arts

Vesta : la Vierge et la déesse du Feu, d'origine troyenne

HÉROS, ANIMAUX FABULEUX ET OBJETS MYTHIQUES ISSUS DES MYTHOLOGIES BRETONNE, ÉCOSSAISE, GALLOISE, GAULOISE ET IRLANDAISE

Ciabhan : le jeune guerrier amoureux de Cliodhna, la déesse de la Beauté

Cockatrice : le coq-serpent

Elfin : le pêcheur malchanceux

Gwion-Bach : le nain, serviteur de Cerridwen

Heinin : le barde de Maelgwin

Maelgwin : l'oncle d'Elfin, un noble de Cymru

Mordra : le serviteur aveugle de Cerridwen

Petite Furie : une épée magique que Manannân a confiée à Celtina

Rhun : le fils de Maelgwin

Taliesin au front brillant: le quatrième enfant de Cerridwen. Le nouveau nom de Gwion-Bach après sa deuxième naissance

Yspaddaden le géant: le roi d'Acmoda

LES ROMAINS

César (Caïus Julius Caesar): le général romain conquérant de la Gaule

Lucius Aurunculeius Cotta: un lieutenant de Jules César

Quintus Titurius Sabinus: un lieutenant de Jules César

Titus Labienus: le légat de César en Gaule

LES GAULOIS

Acco: le chef des Sénons (son nom pourrait signifier « le fougueux »)

Arvernes: peuple gaulois de la région de Clermont-Ferrand (Auvergne, France)

Bituriges: peuple gaulois de la région de Bourges, leur nom signifie « les Rois du Monde » (Berry, France)

Camulogenos: le chef des Aulerques (son nom pourrait signifier « celui qui est né d'une famille puissante »)

Correos: le chef des Bellovaques (son nom pourrait signifier « le nain »)

Drostan: un druide picton

Duratios: le roi des Pictons, allié des Romains

Ménapes: peuple belge, entre la mer du Nord et l'Escaut (France)

Morins: peuple belge des environs de Boulogne-sur-Mer, Pas-de-Calais (France)

Pictons: peuple gaulois de Poitou-Charentes, de la région de Poitiers (France)

Vercingétorix: le chef des Arvernes (son nom pourrait signifier «le très grand chef des guerriers»)

L<small>IEUX EXISTANTS</small>

Acmoda: l'archipel des Shetland

An Mhí, la Terre du Milieu: le comté de Meath, république d'Irlande

Argantomagos: Argentomagus pour les Romains, Argenton-Saint-Marcel, département de l'Indre (Berry, France)

Avara: la rivière Yèvre, département du Cher (Berry, France)

Avaricon: Avaricum pour les Romains, Bourges, département du Cher (Berry, France)

Bononia: Portus Itius pour les Romains, Boulogne-sur-Mer, dans le Pas-de-Calais (France)

Bouzanne: une rivière du Berry (France), dont le nom dérive du nom de la déesse Boann

Boyne: une rivière d'Irlande, dont le nom dérive de la déesse Boann

Brug na Boyne: Newgrange, république d'Irlande

Calédonie: l'Écosse

Connachta: le Connaugh, république d'Irlande

Cymru: le Pays de Galles (Grande-Bretagne)

Kenabon: Cenabum ou Genabum en latin, Orléans, département du Loiret (Centre-Val de Loire, France)

Laighean: le Leister, république d'Irlande
Mediolanon: le «centre du territoire» celte, Châteaumeillant, département du Cher (Centre-Val de Loire, France)
Mhumhain: le Munster, république d'Irlande
Ulaidh: l'Ulster, Irlande du Nord
Unst: une île des Shetland
Yr Wyddfa: le mont Snowdon au Pays de Galles (Grande-Bretagne)

Lieux mythiques
Beathaigh, Clasaigh et Finghin: les collines sacrées du Connachta (Irlande)
Lac des Gueules de Dragons: ou Bel Dracon, un lac du Connachta (Irlande)
Le Síd ou l'Autre Monde: la résidence souterraine des Tribus de Dana
Y Pyllbair: le Trou du Chaudron, un étang du Pays de Galles

Personnages inventés
Abucatos: le vergobret d'Avaricon, surnommé le Chat de rivière
Aneunos: le druide d'Argantomagos, surnommé l'Inspiré
Arzhel: un élève de l'île de Mona, aussi connu sous le nom de Koad, le mage de la forêt, surnommé Prince des Ours
Aulus Ninus Virius: un légionnaire romain, fils de Titus Ninus Virius
Banshee: la mère de Celtina

Banuabios: le druide des Tarbelles
Caïus Matius Carantus: un légionnaire romain, l'ami d'Aulus Ninus Virius
Caradoc: le petit frère de Celtina
Celtina: une élève de l'île de Mona, surnommée Petite Aigrette, l'Élue
Craxanus: un chef de guerre morin, surnommé le Crapaud
Gwenfallon: le père de Celtina
Iorcos: un Andécave, élève de l'île de Mona, surnommé Petit Chevreuil
Kadista: un esclave nubien, surnommé le Chat
Karmanos: un esclave, surnommé la Belette, le frère de Tascos
Maève: la Grande Prophétesse, enseignante dans l'île de Mona
Malaen: le cheval de l'Autre Monde appartenant à Celtina
Mathez: la servante de Roann
Roann: la selkie, la femme-phoque d'Elfin
Loïk: le palefrenier gaël
Tascos: le chef des voleurs, surnommé le Blaireau
Tullia: la nourrice nubienne d'Aulus Ninus Virius